FÂCHÉ
NOIR

Du même auteur

Corax / L'Orphéon, VLB éditeur, 2012.

Stigmates et BBQ, Éditions Québec Amérique, coll. Littérature d'Amérique, 2011.

Morlante, Éditions Coups de tête, 2009.

Mal élevé, Éditions Québec Amérique, coll. Littérature d'Amérique, 2007.

Un petit pas pour l'homme, Éditions Québec Amérique, coll. Littérature
    d'Amérique, édition originale 2003, coll. QA Compact, 2004.
  • **Grand prix de la relève littéraire Archambault 2004**

SÉRIE JEUNAUTEUR

Jeunauteur, Tome 2 – Gloire et crachats, Éditions Québec Amérique,
    coll. Code Bar, 2010.

Jeunauteur, Tome 1 – Souffrir pour écrire, Éditions Québec Amérique,
    coll. Code Bar, 2008.

COLLECTIFS

Dictionnaire de la révolte étudiante, Tête première, 2012.

Amour et libertinage, Les 400 coups, 2011.

STÉPHANE DOMPIERRE

FÂCHÉ NOIR

CHRONIQUES

Québec Amérique

**Catalogage avant publication de Bibliothèque et Archives
nationales du Québec et Bibliothèque et Archives Canada**

Dompierre, Stéphane

Fâché noir : chroniques

ISBN 978-2-7644-2253-3 (Version imprimée)

ISBN 978-2-7644-2457-5 (PDF)

ISBN 978-2-7644-2458-2 (ePub)

I. Titre.

PS8557.O495F32 2013   C848'.608   C2012-942493-5

PS9557.O495F32 2013

Conseil des Arts   Canada Council
du Canada   for the Arts

SODEC
Québec

Nous reconnaissons l'aide financière du gouvernement du Canada par
l'entremise du Fonds du livre du Canada pour nos activités d'édition.

Gouvernement du Québec – Programme de crédit d'impôt pour
l'édition de livres – Gestion SODEC.

Les Éditions Québec Amérique bénéficient du programme de subven-
tion globale du Conseil des Arts du Canada. Elles tiennent également
à remercier la SODEC pour son appui financier.

Québec Amérique

329, rue de la Commune Ouest, 3e étage

Montréal (Québec) Canada H2Y 2E1

Téléphone : 514 499-3000, télécopieur : 514 499-3010

Dépôt légal : 1er trimestre 2013

Bibliothèque nationale du Québec

Bibliothèque nationale du Canada

Projet dirigé par Myriam Caron Belzile
   en collaboration avec Isabelle Longpré
Révision linguistique : Sabine Cerboni
Mise en pages et conception graphique : Nathalie Caron

Tiré des chroniques *Fâché noir* de Stéphane Dompierre
sur Yahoo! Québec
fache-noir.yahoo.com

Imprimé au Canada

Le monde est infiniment plus intéressant que n'importe laquelle de mes opinions à son sujet.

Nicholas Nixon

Plût au ciel que le lecteur, enhardi et devenu momentanément féroce comme ce qu'il lit, trouve, sans se désorienter, son chemin abrupt et sauvage, à travers les marécages désolés de ces pages sombres et pleines de poison.

Lautréamont,
Chants de Maldoror

JE ME FÂCHE

Quand on m'a offert d'écrire une chronique quotidienne sur le portail de Yahoo! Québec, j'ai dit non. J'avais l'impression que j'étais le seul Québécois non analphabète âgé entre vingt et cinquante ans qui n'avait pas de tribune, et je ne voyais pas ce que mon opinion pouvait ajouter à la cacophonie ambiante. Le moindre fait divers suffit pour que des dizaines de chroniques d'opinions s'écrivent. Des éditorialistes en colère écrivent à grands coups de poing sur leurs claviers des répliques à d'autres éditorialistes en colère qui ne partagent pas leur avis. Les réseaux sociaux s'enflamment, tout le monde a son avis sur le sujet de l'heure et chacun s'empresse de le partager au plus grand nombre.

Beurk.

Une contrainte importante s'ajoutait: on voulait que j'écrive sur les relations homme/femme, sujet qui me semblait plutôt restreint pour une chronique hebdomadaire. C'était le sujet principal de mes deux premiers romans et j'y étais associé depuis déjà trop longtemps. J'avais envie de passer à autre chose.

J'ai donc refusé. Merci beaucoup, mais non.

L'ampleur de ma bêtise ne m'a pas frappé tout de suite. Moi, travailleur autonome, toujours inquiet à propos de l'argent, je venais de refuser un contrat d'écriture stimulant, avec une belle visibilité et un revenu fixe.

Ça m'a hanté pendant des semaines.

Et puis je me suis réveillé un matin avec une idée intéressante: pendant que les chroniqueurs se jettent sur les sujets d'actualités, pourquoi ne pas en profiter pour me fâcher sur tout le reste? J'avais trouvé mon angle d'approche. Pendant que d'autres écrivaient sur les scandales politiques, les inégalités sociales et le dopage dans le sport, j'allais écrire sur les chats, les rêves et l'abus du point d'exclamation dans la correspondance au 21ᵉ siècle. Je suis donc retourné voir Yahoo! Québec à genoux, les mains jointes, humble et repentant, et je leur ai demandé s'ils n'avaient pas une petite place pour moi, misérable idiot qui avait craché sur l'opportunité qu'ils m'avaient offerte. Après m'avoir fait languir juste le temps qu'il faut, pour me punir, sans doute, ils m'ont envoyé un contrat. Je l'ai signé sans prendre le temps de le lire et je le leur ai renvoyé très vite. Je leur ai aussi envoyé des tas de courriels de remerciements, jusqu'à ce qu'ils me somment d'arrêter.

En m'installant pour écrire ma première chronique, j'ai eu un doute. Une parodie d'éditorial sur des sujets dont personne ne s'occupe, qui est-ce que ça pouvait bien intéresser? Je leur ai envoyé beaucoup de courriels exposants mes doutes. Ils ont peut-être commencé à regretter leur choix, mais ils ont été gentils et patients, ils m'ont dit de me faire confiance, de commencer par écrire ma première chronique et qu'on verrait bien.

Ils ont bien fait d'insister. J'ai fini par écrire cette chronique, puis une autre, et tout allait plutôt bien.

À part peut-être un léger détail.

Au début, il était possible de commenter mes textes. Par conséquent, cette chronique m'a valu de virulents commentaires. Ceux inclus dans ce recueil ont été légèrement transformés pour éviter les poursuites judiciaires ou les représailles, mais leur essence reste la même. J'ai fâché des lecteurs. On m'a souvent accusé d'être jaloux, frustré, ou simplement méprisant. On m'a conseillé des tisanes, des vacances, des thérapies de choc ou même l'exorcisme pour venir à bout de cette rage et de cette amertume qui me dévorent par en dedans. Il est aussi arrivé que des gens qui tombent par hasard sur un de mes textes croient lire un journaliste. Ceux-là ont viré fous. Mes sources sont discutables, mes chiffres sont erronés et je déforme la vérité chaque fois que j'en ai l'occasion. Quand on me croit journaliste, je suis sans contredit le pire qu'on ait jamais lu.

J'ai parfois pensé mettre un avertissement du genre « c'est de l'humour » avant chaque chronique, mais qu'un lecteur qui n'en a pas saisi le deuxième degré se fâche noir en les lisant m'amuse beaucoup. J'ai tout de même demandé à ce qu'on retire la possibilité de laisser des commentaires ; j'aime imaginer qu'un lecteur puisse pogner les nerfs, mais je n'ai pas envie de lire ses insultes. Je n'ai pas besoin non plus qu'on me demande chaque semaine pourquoi je suis tout le temps fâché. Surtout que c'est faux. Je suis un peu soupe au lait, je l'avoue, mais la dernière personne qui m'ait vu fâché pour vrai, c'était une caissière dans une banque. Elle refusait d'échanger mon tas de sous noirs roulés contre un billet de

20 $, sous prétexte que je n'étais pas client de sa succursale. J'étais pauvre, mon sac de sous noirs pesait une tonne et j'avais besoin de cet argent pour faire l'épicerie. C'était en 1992.

Maintenant, quand je me fâche, c'est uniquement pour le plaisir.

S.

FÂCHÉ NOIR

CONTRE LES GENS SANS OPINION

L'opinion. Un jour, on ne la voyait nulle part, le lendemain, elle était partout. Avec l'arrivée de la machine à café dans les bureaux, l'opinion a cessé d'être l'exclusivité des philosophes et des penseurs. Pendant qu'on bourre l'appareil de petit change, on y va d'un : « Non mais y fais-tu assez frette à matin ? » au collègue qui attend derrière nous. Il approuve en riant. Alors, avide de faire partager au plus grand nombre nos commentaires lucides et éclairés sur la vie et les choses, on l'écrit et on l'envoie aux journaux. On ouvre un blogue. On débarque sur Twitter et Facebook. Au 21e siècle, tout le monde a une opinion sur tout, tout le temps, pensais-je.

Mais non. J'avais tort. Il y a des gens qui résistent.

J'ai découvert leur existence par hasard. Ils ne sont pas faciles à trouver, mais ils laissent leurs traces dans les sondages. Ce sont les personnes qui cochent « Je ne sais pas » en guise de réponse aux questions. Généralement, il s'agit de plus ou moins 5 % de la population. Mais, dans certains cas, le pourcentage d'indécis ou d'ignorants est tout simplement phénoménal. Je rêve de rencontrer un jour quelqu'un qui ne sait pas. Je les trouve fascinants. Tu arrives sur un site d'information où il y a un petit sondage du jour sur un élément de l'actualité. Les bananes, par exemple. Les bananes sont souvent d'actualité.

Aimes-tu les bananes ?

☐ OUI
☐ NON
☐ JE NE SAIS PAS

Invariablement, peu importe le degré de difficulté de la question, qu'on parle du goût des bananes ou de la situation politique en Corée du Nord, il y a toujours des gens qui ne savent pas. Être sans opinion est une chose, mais prendre la peine de répondre volontairement à un questionnaire pour exposer son ignorance au monde entier, voilà qui me trouble. On comprendra que celui qui n'a jamais mangé de banane en ignore le goût, mais BORDEL TOUT LE MONDE A DÉJÀ MANGÉ UNE BANAAAAAANE.

Mais je suis patient et dévoué. Je cherche vraiment à comprendre. Allons-y donc avec quelque chose de moins compliqué.

Es-tu fier du succès que remporte le Cirque du Soleil à l'étranger?

☐ OUI
☐ NON
☐ JE NE SAIS PAS

Si tu réponds « oui », ça va, c'est simple, clair, précis, merci. Tu es prêt à payer 120 $ le billet pour aller voir des clowns flexibles en collants serrés faire du ballet jazz en apesanteur. « Non », ça donne peut-être l'impression que t'es snob et que tu te fous un peu de tout mais ça va aussi, hein, je ne suis pas là pour te juger. Tu as le mérite d'avoir répondu et tu assumes ton choix. Mais « je ne sais pas »? Vraiment? Dis, tu vas bien? Manques-tu de sommeil? Y a-t-il une erreur dans ta médication? Bon. Allez. Je suis gentil, je te laisse une dernière chance.

Je te frappe présentement les tibias avec un bâton de baseball. Est-ce que ça te fait mal?

☐ OUI
☐ NON
☐ JE NE SAIS PAS

Si tu as répondu autre chose que « oui » ou « non », il faut te ressaisir à tout prix. Nous sommes au 21e siècle, ça te prend une opinion. Sur tout. La vie est là, dehors, qui t'attend, et il faut qu'on sache si tu es pour ou contre.

FÂCHÉ NOIR CONTRE LES 100 CHOSES À FAIRE AVANT DE MOURIR

Bon, allez. Aujourd'hui, donne ta démission sur un coup de tête, apprends à piloter un avion et atterris près d'un volcan·en éruption. Si tu veux t'en sortir avec ta liste des 100 choses que tu souhaites faire avant de mourir, il va falloir que tu commences à un moment donné. Demain, il sera peut-être trop tard.

Je suis presque certain que t'as fait une liste. Parce que, comme moi, t'as des amis qui te racontent leur week-end en parlant de descente de rapides en canot pneumatique, de kite-surf et de saut en parachute. Souvent, ils s'appellent Dave. Les Dave sont des gens intrépides. Et les Dave te demandent ensuite qu'est-ce que t'as fait de ton week-end. Moi? Euh. J'ai bu beaucoup d'eau, je me suis appliqué une double dose de déodorant et j'ai lu sur le bord du canal Lachine. « Il y avait des moustiques », que je précise, pour ajouter un peu d'imprévu et d'aventure à mon récit. Le Dave me dit que je devrais tout de même essayer quelques activités qu'il a faites.

Dave s'imagine que ce qui est bon pour lui sera bon pour moi.

Je veux bien, Dave, mais moi j'ai Internet. Et, sur Internet, toutes tes activités se terminent très mal. Je cherche des vidéos de deltaplane et je trouve un gars qui atterrit trop vite et se casse les deux jambes. Nager avec les dauphins: dévoré par les requins. Sauter dans un lac à partir de hauts rochers: le quidam ne s'est pas rendu jusqu'au lac. Je comprends que le but de la plupart des activités est de passer près de la mort ou, au minimum, de se faire mal. Si c'est de la douleur que ça prend, j'ai quelques accomplissements à mon actif:

44. Avoir une pierre au rein: CHECK.

53. Se casser une dent et avoir le nerf à vif: CHECK.

77. Faire tomber un tiroir sur un ongle incarné: CHECK.

91. Aller voir un film de Lars Von Trier au cinéma: CHECK.

Peut-être qu'il est bon de ne pas se laisser imposer la liste d'un Dave et de plutôt créer la sienne. Après tout, on ne tire pas tous notre adrénaline des mêmes activités. Pour certains, ce sera de se battre à mains nues avec un ours enragé qui vient de se faire piquer par des abeilles. Pour d'autres, ce sera de lire ma chronique sur les heures de bureau sans se faire pincer par le boss. Je suggère de glisser des trucs faciles dans la liste et quelques erreurs de jeunesse. Rien n'est plus satisfaisant que d'inscrire sur une liste des items qu'on peut tout de suite rayer. Ça enlève de la pression.

54. Offrir une lettre d'amour à une fille qui ne m'aime pas : CHECK.

67. Voler des Hot Wheels au Bonimart et se faire pogner : CHECK.

Si tu sens que tu vis tes dernières heures et qu'il te reste beaucoup trop de choses à faire avant de mourir, modifie ta liste en conséquence. Remplace « sauter en bungee » par « tomber en bas du lit », « construire une maison de mes propres mains » par « avoir une douleur vive dans le bras gauche » et puis voilà. Peu importe ce qu'on aura accompli avant de mourir, l'important c'est le plaisir qu'on aura pris à le faire.

Parce que c'est bien beau les rêves, Dave, mais il y a aussi la vie.

FÂCHÉ NOIR CONTRE TES PHOTOS DE VACANCES

Je t'avertis tout de suite : je suis fâché simplement parce que tu pars en vacances plus souvent que moi. Je suis jaloux, alors il faut bien que je te picosse sur quelque chose. C'est un geste gratuit. Pure vengeance. Ce qui se rapproche le plus de vacances, dans mon cas, ce sera d'aller fouiner dans les photos que tu mettras sur Facebook à ton retour. Mais il faut que quelqu'un te le dise : tes photos de voyage sont plates en maudit.

« T'as juste à pas aller les voir, espèce de malade », serais-tu tenté de me répondre. Mais le fait est qu'elles seront là, sur Facebook, et que ce sera tentant d'aller y jeter un œil. Toi, exhibitionniste, moi, voyeur. Un couple parfait.

Ton problème, avec les photos, c'est d'abord la quantité. Depuis l'arrivée de la carte mémoire, tu t'es lâché lousse sur le Kodak et tu bourres ton appareil pour être certain d'avoir LA bonne photo. Ça te rassure de savoir que tu n'auras pas fait tout le voyage jusqu'au Grand Canyon pour revenir avec un 24 poses de photos floues. Mais bon. Tu sais, entre 24 photos du Grand

Canyon et 800, y'a sûrement un juste milieu. Surtout qu'entre un tas de roches et un autre, moi, après quatre photos, je ne vois plus du tout la différence. Après dix, je dois me taper la tête sur un mur en hurlant pour rester éveillé et il me vient une envie folle de me glisser dans une baignoire remplie de café turc.

Si tu pars dans le sud dans un «tout inclus», permets-moi de te rappeler ceci: là-bas, il n'y a que six photos possibles.

1. Toi au bar aménagé dans la piscine, avec ton 8e cocktail trop sucré à la main.

2. Toi, pompette, juste avant le souper, sur le petit chemin qui mène de ta chambre jusqu'au buffet.

3. Toi, pompette, qui lis une «lecture d'été» sous ton parasol.

4. Tes pieds, avec le sable et la mer en arrière-plan.

5. Un lézard et/ou un paon et/ou un gros insecte (pour l'exotisme).

6. L'avion qui te ramène au Québec.

Toutes les autres ne sont que des variantes inutiles de celles-ci. Jette-moi ça. Pour Cuba, je suis permissif, t'as droit à huit: rajoute celle où tu es appuyé sur une vieille voiture et celle où tu glandes devant une affiche aux couleurs du Che. Tu te souviens à quel point ta visite d'une usine de cigare était plate? Quand on regarde les photos, la platitude est multipliée par mille.

Pendant qu'on y est, j'aimerais te parler de quelque chose qui va changer ta vie: l'avant-plan. C'est un cadrage tout simple qui fait que si tu veux photographier ta mère et la tour

Eiffel, par exemple, t'es pas obligé d'envoyer la première se mettre en dessous de la deuxième rien que pour les avoir toutes les deux dans ta photo. Elle sera si loin dans l'image qu'on ne verra même pas qui c'est. Si t'aimes ta mère plus que la tour Eiffel, tu peux la cadrer au premier plan, tout près de l'appareil-photo, et laisser le vieux machin rouillé en arrière-plan. Je te ferais bien un dessin pour être certain que t'as compris mais je suis de même, moi, je m'obstine à te faire confiance.

Allez, bonnes vacances. Gêne-toi pas pour me ramener un porte-clés.

FÂCHÉ NOIR
HOMMAGE AU DOUCHEBAG

Quand j'entends une personne en traiter une autre de douchebag, c'est toujours prononcé avec une moue dédaigneuse, comme lorsqu'on prononce « coloscopie », « buffet chinois » ou « le dernier film de Night Shyamalan ». Pourquoi le douchebag a-t-il si mauvaise réputation ? Il est pourtant un pur produit de notre société et son comportement devrait être encouragé et même copié.

Nous devrions tous être des douchebags.

D'abord, le douchebag est influençable. Avec les milliards qui se dépensent en publicité chaque année, ça doit être une bonne chose, non ? Le douchebag achète inévitablement un des deux modèles de voitures qu'on l'incite à acheter. Soit un 4 X 4 énorme conçu pour rouler en pleine guerre civile sans se faire égratigner, soit une voiture sport qui, dans la publicité, roule à fond la caisse sur une petite route de campagne au son d'une musique techno sans âme. Le douchebag adore rouler à fond la caisse sur une petite route de campagne au son d'une musique techno sans âme.

Il vit dans une société de consommation et il consomme. N'est-ce pas normal ? Des t-shirts Ed Hardy, des casquettes Ed Hardy, du vin Ed Hardy, il s'est même laissé prendre à acheter le coffret des DVD de Laurel & Hardy. (Déception.) Donnez-lui du tofu Ed Hardy, il l'avalera sans prendre le temps de mâcher. Mettez de la crème anticellulite dans un pot gris foncé et inscrivez le mot « man » en rouge dessus, il va s'en procurer. Il achète la bière qu'on lui dit de boire, il regarde les émissions qu'on lui dit de regarder et, dans le cas de *Loft Story* et d'*Occupation Double*, il rêve même de jouer dedans. Et plutôt que d'aller bronzer sur les plages d'Espagne ou d'Italie, il investit localement et voyage tous les jours de chez lui jusqu'au salon de bronzage le plus près. C'est un être bien dans sa peau et c'est sans honte qu'il exhibe ses tatouages tribaux qui n'auront été à la mode que l'espace de quelques jours au mois de juillet 1991.

N'allez pas croire que le douchebag est froid et insensible malgré son apparence de batteur de femme droit sorti d'un film porno. D'après ce que j'ai pu constater, en m'astreignant à regarder quelques minutes d'émissions de téléréalité, le douche adore pleurer dans les bras d'un de ses compatriotes en disant : « Tu vas me manquer, chummey » ou « Va-t'en pas, el'gros ». Le douchebag a le cœur sur la main.

Il serait aussi présomptueux de croire que le douchebag est simple d'esprit parce qu'il préfère ratatiner dans un jacuzzi ou dégueuler dans les manèges de la Ronde plutôt que d'ouvrir un livre de poésie bulgare ou d'écouter les opéras de Puccini en fumant la pipe. C'est un être complexe et rempli de contradictions. Par exemple, il passe des heures au gym à se bâtir une charpente virile et musclée, mais adore s'épiler les parties génitales pour qu'elles ressemblent à celles d'un enfant prépubère. On le croit égocentrique alors qu'il est si peu centré sur lui-même qu'il ignore être un douchebag.

Ah, et ça se prononce « douwshe » et non « doutsche ». Tant qu'à crier des noms à des gros tas de muscles au péril de ta vie, fais-le donc comme il faut.

FÂCHÉ
NOIR CONTRE LES GUICHETS AUTOMATIQUES

L'homme vient tout juste de fêter son quatre-vingt-douzième anniversaire. Comme cadeau, un de ses fils l'a fait entrer dans la modernité en remplissant à sa place une demande de carte de guichet automatique. «Tu vas voir comme c'est pratique, papa! Tu vas sauver du temps!»

C'est aujourd'hui qu'il l'étrenne. Il la sort de son portefeuille et cherche le trou où l'insérer. Il essaie celui-ci, celui-là, et finit par trouver le bon. Il pousse. Mauvais côté. Il essaie de nouveau. Mauvais côté. Il ne reste que deux possibilités. Il se trompe encore. J'aurais parié qu'il l'aurait eu en quatre coups mais non, il essaie des côtés qu'il a déjà essayés avant. Et, enfin, la carte s'enfonce dans la machine. L'homme tente de répondre aux instructions en appuyant sur les chiffres.

« Préférez-vous les instructions en français, en anglais ou en mandarin ? » Il répond « 8 ». Mauvaise réponse. Il réessaie, s'aperçoit enfin que l'écran est tactile et répond aux questions. Il entre son code d'accès. Cinq chiffres, mouvements lents, mains tremblotantes.

Moi ? Je suis derrière et j'attends. Je serre la mâchoire si fort que je me demande si les dents ne vont pas m'exploser dans la bouche. Tu sais, ce moment terrible où tu attends depuis déjà trop longtemps mais où l'orgueil te pousse à rester là plutôt que de partir à la recherche d'une autre banque ?

La nuit tombe. Ma journée de congé est déjà terminée. Moi qui voulais retirer de l'argent pour aller bruncher avec des amis, c'est raté. Mais bon. Ça va. Je suis conciliant. Je comprends sa situation. Nous sommes tous passés par là. J'admire sa persévérance. Je respecte les aînés. J'appelle ma blonde pour dire que je ne rentrerai pas coucher. Noël est encore loin mais je suis prévoyant, j'appelle aussi mes parents pour les prévenir que j'arriverai en retard au réveillon. Ne m'attendez pas pour ouvrir les cadeaux.

L'homme répond difficilement aux questions, ce qui est plutôt normal puisqu'il ne sait pas lire le mandarin. *Patience et longueur de temps font plus que force ni que rage.* Grâce au hasard et à la loi des probabilités, il réussit à déposer trois chèques, un par enveloppe, à virer des fonds de sa marge de crédit à son compte d'épargne, puis de son compte d'épargne à son compte chèques, et à retirer l'argent de ses REER qui tombe à ses pieds et forme une petite butte de billets de vingt.

J'ai un chèque à déposer et il ne restera plus d'enveloppes mais ça va, ce n'est rien, je ferai ça une autre fois. J'ai le moral. Ça avance. Le retraité prend de l'assurance et de la vitesse. Je sens que le week-end n'est pas tout à fait perdu. L'espoir me réanime.

Il sort un truc de sa poche. C'est quoi, ce machin ? Un passeport ? Un calepin de notes ? Un livret de banque. Ça existe encore, des livrets de banque ? Il cherche le trou où l'insérer pour le mettre à jour pendant que je m'écroule par terre, dans la sloche brune qui imbibe le tapis et je me roule en position fœtale pour méditer, fasciné par tout ce temps que la technologie fait gagner aux uns et perdre aux autres.

FÂCHÉ NOIR CONTRE LE MOMENT PRÉSENT

Ce n'est pas sans raison qu'on trouve des tas de livres dans les librairies qui tentent de nous aider à apprécier le moment présent. C'est que le moment présent est difficile à aimer. Pour tout dire, je ne connais pas grand-chose qui soit aussi susceptible de me gâcher ma journée que le moment présent.

Ne t'emporte pas, ami lecteur aux sourcils froncés. Je sais que tu es exactement comme moi. Prends ton anniversaire, par exemple. Souviens-toi des jours heureux que tu as passés après avoir trouvé ton cadeau dans un garde-robe, du plaisir que tu as eu à l'agiter dans tous les sens pour tenter de deviner ce que ça pouvait bien être, pour te rendre compte le jour de ton anniversaire que sous le motif coloré de l'emballage se cachait une boîte de séchoir à cheveux. Une autre surprise t'attendait : ce n'était même pas un foutu séchoir plate qu'on t'offrait en cadeau, mais un poêlon qu'on a jugé bon de mettre dans une boîte quelconque pour mieux l'emballer.

Ce cadeau qui hier encore emplissait ton cœur de joie te donne maintenant des envies de génocide.

Les voyages, c'est encore pire. Tu planifies une escapade à Paris depuis six mois. L'anticipation est délicieuse, et tu rêves du moment où tu te retrouveras à siroter un Ricard attablé au Café de Flore, haut lieu mythique du boulevard Saint-Germain, autrefois fréquenté par quelques personnes que tu admires : Simone de Beauvoir, Jean-Paul Sartre, Guillaume Apollinaire ou Marcel Béliveau. Et puis t'y voilà enfin. Tu grimaces en voyant les prix sur la carte, mais tu tiens bon et tu te commandes un Ricard. Tu essaies de profiter du moment présent, mais il y a une file de touristes qui se bousculent tout près de ta table et qui te regardent avec des gros yeux, l'air de dire : « Non mais c'est qu'il va y passer la journée, ce taré ? » Ça te déconcentre un peu. Et tu t'aperçois avec stupéfaction que tu n'aimes même pas le Ricard.

Les voyages gagnent en valeur une fois qu'ils sont passés. On ressort les photos d'une boîte à souliers et on en vient même à se demander pourquoi on s'était plaint tout au long du voyage. C'est qu'il est plutôt rare qu'on prenne nos mauvais souvenirs en photo, alors on les oublie. (Le poulet qui nous a rendu malade dans l'avion, les toilettes turques les plus sales du monde au cimetière Montparnasse, l'agent de tourisme qui perd son sang-froid devant son millionième touriste égaré : oubliés.)

« Oui mais là, hein, ho, me diras-tu en fronçant à nouveau les sourcils, c'est ton problème si tu ne sais pas apprécier le moment présent. Moi je vis comme s'il n'y avait pas de lendemain et c'est le bonheur. »

J'avoue que je suis très peu fêtard et beaucoup trouble-fêtard, alors je te dirai ceci: tu ne vis pas du tout comme s'il n'y avait pas de lendemain. Si c'était le cas, tu serais en train de courir dans un champ de blé après t'être empiffré de poulet frit, de champagne et de crème glacée à la pâte de biscuit, pendant que ton patron se demande où t'es passé. «Désolé, boss, j'étais vraiment persuadé qu'il n'y aurait pas de lendemain. Je dois vous prévenir que ça m'a incité à mettre le feu à votre voiture, remplir votre piscine de fumier et rouler sur votre saleté de chien qui gueule tout le temps. Rassurez-vous, tout s'est passé très vite, le petit Cachou n'a pas eu le temps de souffrir.»

J'ai l'impression que la plupart des gens qui ont vécu comme s'il n'y avait pas de lendemain se sont retrouvés en prison. Et c'est tout ce qu'ils méritent.

FÂCHÉ NOIR
CONTRE L'AMOUR
(DANS LES CHANSONS)

Tu le sais déjà parce que tu as vu le film *Footloose* une dizaine de fois en cachette, mais je te le répète ici : la musique rock, c'est mal. Pas seulement parce que son rythme accrocheur te pousse à faire des déhanchements lubriques qui incitent au coït, mais aussi parce qu'elle influence les histoires d'amour. L'amour et le rock évoluent à peu près de la même façon. Quelques tendances générales ressortent du lot.

En 1940, c'était : *Je t'aime, je t'aime, je t'aime, oh oui, je t'aime.*

En 1950 : *Demande à ton papa si je peux t'aimer.*

1960 : *Je t'aime choubidouwa même si ton papa veut pas doubidouwa.*

1970 : *Je t'aime, j'aime tout le monde, woah je tripe alaloulaïlouuu.*

1980 : *Je ne t'aime pas et l'amour c'est de la merde.*

1990 : *Tu ne m'aimes plus, tant pis, je te déteste.*

2000 : *Frotte tes* ████████ *sur ma grosse* ████████ *pendant que je te lèche la* ████████ *, yo !*

2010 : *Je m'aime et tu devrais m'aimer aussi.*

Comme le sexe subit l'influence de la pornographie, l'amour subit celle, tout aussi dévastatrice, de la musique. C'est que, peu importe l'époque, les chansons ont une nette tendance à la surenchère. Tu te penses bon parce que t'as eu l'idée d'acheter des fleurs pour l'anniversaire de ta blonde. Pendant que le fleuriste prépare ton bouquet, tu entends à la radio Robert Charlebois qui chante « j'me tatoue ton nom tout partout ». De quoi tu vas avoir l'air avec ton tapon de gerberas à 12 $, alors que l'autre se tatoue son nom tout partout, perd vingt kilos et va à des séances « d'aérobic » ?

De rien. Tu vas avoir l'air de rien.

Et tout ce monde-là semble compétitionner pour savoir qui sera l'amoureux ultime. Ça se bouscule et ça se pile sur la tête, ça s'empare du micro et ça chante un truc qui dépasse l'entendement, tellement dingue que personne n'y avait pensé avant. Mais une fois que Brel a chanté « laisse-moi devenir l'ombre de ta main, l'ombre de ton chien » dans ce qui semble être une des chansons d'amour les plus populaires, qu'est-ce qu'on peut ajouter ?

Avec Cabrel qui chante « je t'aimais, je t'aime et je t'aimerai », on pourrait dire qu'on a fait le tour du sujet.

À force de renchérir, ça finit par basculer dans l'étrange ou le carrément morbide. « Et si tu n'existais pas, dis-moi pourquoi j'existerais. » Ça sonne comme la confession d'un dépressif suicidaire. On sent que ça va mal finir si jamais t'as la mauvaise idée de rompre. « Every breath you take I'll be watching you. » Euh. Tu veux vraiment surveiller chacune de mes respirations ? Relaxe, chose. Je comprends que tu m'aimes, là, oui, mais faut pas capoter non plus. Est-ce que je peux dormir sans t'avoir à deux pouces du nez, les yeux grands ouverts, à m'observer baver sur l'oreiller ? T'as pas autre chose à faire, des fois ? Aller travailler ? T'occuper de ton hygiène corporelle ? Regarder par là-bas pendant que je m'enfuis ?

Si tu veux vraiment faire plaisir à ta blonde, laisse faire les fleurs. Chante-lui des affaires épeurantes. Je commence à croire qu'elle aime ça.

FÂCHÉ NOIR CONTRE
LA QUARANTAINE

Le 1er août 2011. C'est la date où je me suis officiellement senti vieux. Les remontrances de mon médecin de famille avaient parti le bal, mais c'est à la pharmacie que ça s'est officiellement passé. J'avais une prescription pour « c'est pas de vos oignons mais rassurez-vous ce n'est pas une ITSS que j'aurais attrapée en couchant avec n'importe qui » que j'ai remise à la jeune et jolie pharmacienne. Je l'aurais peut-être draguée si j'avais su comment on fait mais, en attendant qu'elle prépare ma commande, j'ai compté sur mes doigts l'âge qui séparait ma jeune quarantaine de sa jeune vingtaine.

Ça faisait beaucoup de doigts.

Elle m'a arraché à mes calculs en m'appelant au comptoir pour me remettre mes médicaments. C'est là que le coup de hache a définitivement été planté dans l'arbre mort de ma jeunesse, avec une voix douce et un sourire affable :

« Vous savez, on peut livrer vos médicaments à votre domicile, sans frais. »

Le silence s'est installé entre nous deux. J'avais la bouche en un « o » grimaçant, prêt à lancer une réplique assassine, mais rien ne m'est venu. Pour cette jeune fille en fleurs, j'étais un pépère, décrépi au point que la marche de chez moi jusqu'à la pharmacie semblait être une tâche si lourde que je méritais de rester à la maison, qu'on me livre ma commande à domicile pendant que j'attendais en regardant la télé, avachi dans un La-Z-Boy, les pieds dans mes pantoufles, profitant de la poignée d'heures qu'il me restait encore avant la mort.

J'ai poliment décliné l'offre et je suis rentré chez moi en rasant les murs. C'est roulé en boule sous ma table de cuisine, à broyer du noir, que m'est venue l'idée de noter les bons côtés de la quarantaine. Je n'avais ni la force ni l'envie de me relever, alors j'ai tout gravé ça sur le plancher flottant. Avec mes ongles.

> Plus besoin de se déguiser à l'Halloween.

> Inutile d'avoir une opinion sur Justin Bieber ou Lady Gaga.

> Inutile même de savoir qui ils sont.

> Faire un signe de « devil » sur les photos n'ajoute rien à ma personnalité.

> Les concours de boissons ne consistent plus à boire le plus de bière possible en un minimum de temps, mais simplement à trouver un bon digestif à offrir en cadeau.

> Quand vous voyagez, plus personne ne vous suggère comme « bonne adresse » une auberge de jeunesse équipée de dortoirs et d'une seule douche pour 80 personnes.

> Aucun gang de rue n'essaie de vous recruter.

> Aucun gang de rue n'essaie même de vous voler, les jeunes étant convaincus qu'à votre âge vous payez seulement par chèque et que votre définition de « nouvelle technologie » est un téléphone à roulette branché dans le mur.

> Le golf, la marche et même le simple fait d'être debout et encore vivant comptent pour de l'activité physique.

Oui, bon, j'avoue que c'est pas grand-chose, mais c'est un début. Ça m'aura au moins donné le courage de sortir d'en dessous de ma table. En attendant de trouver d'autres points positifs, j'essaie de dire : « Je suis un quadragénaire » sans que me vienne la nausée.

Mes félicitations à ceux qui sont passés par là et bonne chance à ceux qui y arrivent.

« L'avantage que vous soyez un vieux jeune, c'est qu'on peut espérer que vous preniez votre retraite rapidement pour laisser votre place à quelqu'un de plus en forme et de plus positif. Vos sujets ne sont pas recherchés et ne sentent pas vraiment le vrai vécu. »

Anonyme

FÂCHÉ NOIR
CONTRE LES ERREURS DE JUGEMENT

L'autre jour, j'ai goûté à un yaourt périmé parce que je me suis déjà fait dire par un fin connaisseur que ce machin pouvait rester d'une fraîcheur irréprochable des semaines après sa date de péremption. Je sais maintenant que c'est faux. Un yaourt périmé, ça pétille sur la langue et ça laisse un drôle de goût en bouche, bien après qu'on l'ait craché dans l'évier et qu'on se soit désinfecté la bouche en prenant une grande gorgée d'absinthe et en y mettant le feu.

Chaque nouvelle journée que la vie nous offre est une occasion de commettre des erreurs de jugement. Évidemment, nous sommes des gens plutôt modérés, toi et moi. L'envie ne nous prendrait pas d'essayer de nous tenir en équilibre debout sur une voiture en marche, de mettre une main dans un broyeur à déchets branché pour y récupérer une bague ou d'héberger dans notre tente un ourson tout mignon perdu en forêt. Et puis nous avons la chance d'apprendre sans cesse des erreurs des autres : avec le nombre de vedettes qui se font voler leurs téléphones et dont le contenu se retrouve sur Internet, nous savons que c'est une très mauvaise idée de photographier nos organes génitaux.

Quoi ? Tu es parfait et tu ne commets jamais d'erreur de jugement ? C'est dommage. Sais-tu ce que tu manques ? Voici quelques suggestions d'activités afin que tu puisses toi aussi ressentir la honte, les blessures physiques ou les silences de malaise :

Boire du vin de dépanneur * Baiser sur un meuble IKEA * Tenter de déménager un matelas avec une Smart * Pour l'amuser, agiter ses doigts devant un chat pas dégriffé * Parler en mal d'un spécialiste des réseaux sociaux sur les réseaux sociaux * Imiter un accent étranger (vous croiserez évidemment quelqu'un de cette nationalité au même moment) * Aller voir les effets secondaires possibles de vos médicaments sur Google images * Servir des pâtes alimentaires en forme de pénis (c'est ce soir-là que votre grand-père débarquera à l'improviste pour souper) * Complimenter une femme pour sa belle bédaine alors qu'elle n'est pas enceinte mais s'est plutôt développé une passion pour les nachos nappés de fromage fondu.

PARTIE SCIENTIFIQUE
DE LA CHRONIQUE

L'erreur de jugement vient d'une dualité entre plusieurs parties du cerveau qui ont chacune une lecture particulière des événements. Le lobe frontal te dira : « Cette mayonnaise a passé deux heures au soleil et en mettre dans ton sandwich est probablement une très mauvaise idée », tandis que le cervelet dira plutôt : « Ah ! Qu'est-ce qu'il fait beau ! La vie est belle ! Mettre de la mayonnaise qui surit au soleil depuis des heures dans ton sandwich, c'est comme y mettre une bonne beurrée de soleil ! J'aime la vie, troulalaïdi ! » Le cerveau prend alors sa décision dans un genre de roche/papier/ciseau joué à toute vitesse, et c'est souvent la mauvaise décision, plus compétitive et mieux entraînée à ce jeu, qui gagne.

Note que j'ai déniché ces informations sur le fonctionnement du cerveau dans un *Reader's Digest* de 1967 en version allemande oublié dans un chalet des Laurentides, alors ça se pourrait que ce ne soit pas tout à fait juste. Se fier à moi, c'est souvent une erreur de jugement.

FÂCHÉ NOIR
CONTRE
LE MOT
« URBAIN »

Les promoteurs et les publicitaires redoublent d'ardeur pour nous garder en ville ou, si on vit en banlieue, pour nous y faire revenir. Une stratégie habile : on prend la patente qu'il faut vendre et on y ajoute le mot « urbain ». Maison urbaine, spa urbain, gym urbain, salon de coiffure urbain. Vois-tu comment tout a l'air plus excitant quand il y a le mot « urbain » dedans ? En temps normal, je n'ai rien à faire dans un salon de toilettage, puisque je n'ai pas d'animaux. Mais si c'est un salon de toilettage urbain, alors là, comment résister ? Je me laisserais pomponner, dégriffer et mettre une boucle dans les cheveux avec plaisir.

La nouvelle folie, c'est le micro-condo urbain.

Oubliez le banal condominium. Plus personne n'a les moyens d'en acheter. Le micro-condo urbain, c'est mieux. Basé sur le modèle d'un condo standard, on y a enlevé tout ce qui était superflu: l'espace, le rangement, le balcon et le lit. Bon, il y a un lit, mais il est escamotable. Une fois qu'il est casé dans le mur, t'as une table qui se cachait juste en dessous et qui se déplie, avec des pattes rétractables et tout. Il suffit de replacer les chaises et hop, déjeuner. Où vont les chaises quand tu dors? Je n'en sais rien. Laisse faire les détails. Tout a été pensé. Pour les intellectuels, il y a même suffisamment d'espace pour ranger une dizaine de livres, coincés entre l'évier de la cuisine et la pomme de douche. Au fond, c'est comme vivre à l'hôtel, mais sans les petits savons gratuits.

Tu me sembles peu emballé, dis donc.

Est-ce parce que les fenêtres ne s'ouvrent pas et que la porte du balcon ne donne sur rien d'autre qu'un grillage et une absence de balcon? Si tu veux de l'air frais, il y a un beau parc urbain tout près. Un parc urbain est généralement constitué de gazon brûlé, de bancs inconfortables et de jeux décolorés par le soleil. Ne t'approche pas de la glissoire. Un vieux mendiant urbain aux yeux rouges qui gueule des obscénités est coincé dedans. Et le bac à sable est comme un sac à surprise où chaque objet qui s'y cache te donne la chance d'attraper une des nombreuses formes d'hépatite. Mais ce sont des détails. Tu ne vas pas là pour jouer mais simplement pour relaxer. À l'heure où tu t'y rendras en pantoufles et en robe de chambre pour y boire ton café, sans doute que les drogués, prostituées, exhibitionnistes et violeurs qui squattent le parc seront partis vaquer à leurs occupations.

Ah oui. Le micro-condo n'offre pas de place de stationnement. Et c'est tant mieux! Si t'es un vrai urbain, tu exhibes fièrement chaque fois que tu peux une grosse trace brune de bouette que tu t'es faite dans le dos à rouler à vélo sous l'orage. Et puis pourquoi vouloir une voiture? Le micro-condo est toujours situé près de tout.

En gros, ça veut dire qu'il est près d'un arrêt de bus.

Ça peut avoir l'air plate, dit de même, mais sache que c'est un arrêt de bus urbain. T'es toujours pas convaincu? Mmm. Je te dis, toi, des fois, tu boudes ton plaisir. Mais je crois savoir ce qu'il te faut: un jour, je te vanterai les mérites de la banlieue.

À supposer que ça existe.

FÂCHÉ NOIR CONTRE LES SCEPTIQUES

L'autre jour, je recevais une bande d'amis à souper chez moi. Au menu : *grilled cheese* et soupe en conserve. (Côté cuisine, je prévois peut-être m'acheter un livre de recettes bientôt, je ne sais pas, j'hésite.) Alors que je sortais mon premier *grilled cheese* tout chaud et tout craquant de la poêle, mes privilégiés convives et moi-même avons pu constater que le visage de Jésus apparaissait de façon très nette sur le pain grillé. Surprise, fascination, émoi. Évidemment, au diable les rotules, nous nous sommes jetés à genoux pour louanger Dieu en pleurant des larmes de sang. Il n'y a que notre ami Thomas (nom fictif) qui est resté assis, à nous regarder avec dédain, attendant que nos petits cris d'étonnement et nos prières approximatives s'épuisent pour nous lancer un : « Franchement. Capotez pas. C'est juste du calciné. »

Les sceptiques ont toujours la phrase qu'il faut pour ruiner l'ambiance.

Et, puisqu'on y est, aussi bien les accuser de tous les maux. Ce sont les sceptiques qui coûtent cher à la société ; les autres guérissent très bien avec des placebos qui ne coûtent rien à produire. Les gens qui ont la foi ne se plaignent jamais de l'homéopathie, des colliers Pur Noisetier ou du fait que le chef de la secte prévoit les sodomiser pour les aider à retrouver la pureté originelle.

Aussi, l'insécurité du sceptique face à son intelligence le pousse sans cesse à vouloir expliquer tout ce qui se passe. C'est lui qui t'a révélé que le Père Noël n'était nul autre que ton père déguisé. Par ce geste il voulait, par ordre d'importance: d'abord se rassurer lui-même, ensuite prouver qu'il est plus perspicace qu'un enfant de quatre ans et, finalement, gâcher ton plaisir.

Le sceptique est du genre à te juger durement si tu as le malheur de regarder une émission télévisée ayant comme sujet des fantômes, des guérisseurs ou des médiums qui parlent aux animaux domestiques défunts. Il accuse même les concepteurs de ce genre d'émissions de prendre le public pour des imbéciles. Je me demande pourtant lequel des deux met le plus en doute notre intelligence: le «médium» qui fait bouger une table avec ses mains de façon plutôt malhabile, ou bien le sceptique qui débarque dans les bulletins de nouvelles pour nous révéler que ce n'est pas véritablement une manifestation de fantômes. Euh. Merci beaucoup, expert scientifique diplômé en apparitions surnaturelles et analyse de mouvements de table, mais je crois que tu t'excites pour pas grand-chose. Tu sais, quand Luc Langevin fait sortir six pandas vivants de sa bouche, on se doute bien qu'il y a un truc et qu'ils n'étaient pas cachés dans ses bajoues.

Allez, sceptique, on n'a rien contre le fait que tu nous aides à comprendre le monde et que tu le remettes sans cesse en question. C'est juste ton petit air condescendant qui n'est vraiment pas nécessaire.

FÂCHÉ NOIR CONTRE LES PHRASES TOUTES FAITES

(PREMIÈRE PARTIE)

Les phrases toutes faites ressemblent à ces sandwichs emballés dans du cellophane que l'on trouve dans certains dépanneurs ; en plus d'être flétries, on ne sait jamais vraiment d'où elles viennent et c'est toujours désagréable d'en avoir une à la bouche. Petit tour d'horizon de ces phrases énervantes.

« Y'a rien qui arrive pour rien. »

La fascination qu'ont les gens, même complètement athées, pour cette phrase lourde en judéo-christianisme bas de gamme m'a toujours inquiété. Et chaque fois que je leur suggère poliment de dire d'une façon plus juste : « Je réussis à trouver des éléments positifs aux coups durs de la vie », on me répond : « T'es un genre d'emmerdeur professionnel, toi, hein ? » (La réponse est oui.)

« Facebook, c'est niaiseux. Je préfère avoir des amis dans la vraie vie. »

Niaise-moi pas. L'autre jour je t'ai croisé, dans la vraie vie, et tu passes tes journées tout seul dans un Tim Hortons à brasser ton café en regardant dans le vide. La vie sociale au 21e siècle consiste principalement à regarder dans le vide tout seul dans un Tim Hortons mais, surtout, à prendre une photo de l'événement et à l'afficher sur tous les réseaux sociaux.

« Je suis célibataire par choix. »

Ah, ben oui. Comme les gens en couple qui le sont par choix, c'est ça ? Un matin ils se sont levés, ils se sont dit : « Tiens, j'ai envie d'être en couple, là, tout de suite », ils ont claqué des doigts et hop, quelqu'un de qui ils allaient tomber amoureux a déboulé un escalier pour rouler à leurs pieds. Ça a tellement l'air simple. Un célibataire qui affirme l'être par choix devrait être capable de me prouver que des choix intéressants s'offraient à lui, avec de solides preuves écrites ou, mieux, une abondance de documents audiovisuels. Être seul parce que personne ne correspond à ta liste exhaustive de critères farfelus ne me donne pas l'impression que tu as le choix.

« J'ai l'âge du Christ. »

Euh, non. Jésus n'a pas eu qu'un seul âge. Comme tout le monde, il a eu son anniversaire chaque année, à la même date. Si tu veux dire par là que tu as 33 ans, l'expression juste serait : « J'ai l'âge du Christ au moment supposé de sa crucifixion, mais seulement selon certains calculs, puisque de plus en plus de gens s'entendent pour dire, à supposer qu'il ait vraiment existé, que Jésus aurait plutôt été crucifié à l'âge de 36 ou 37 ans. Et puisqu'il semblerait qu'il ait ressuscité et qu'on ait ensuite perdu sa trace, on n'a finalement aucune foutue idée à quel âge il a bien pu mourir. J'ai l'âge du Christ quand il avait 33 ans. »

« Quand on veut, on peut. »

Ah là là. Je m'excuse d'être encore une fois le trouble-fête qui vient uriner sur tes pensées positives mais, tu sais, si t'as ni bras, ni jambes, le US Open de tennis, c'est peut-être pas pour toi. Tu pourras probablement pas être le double de Bruce Willis pour ses scènes de cascades non plus.

« Franchement, tu vas avoir l'air de quoi dans cinquante ans, avec tes tatouages ? »

Je vais avoir l'air aussi fripé que toi, mais vraiment plus cool.

« Je me coupe les cheveux moi-même. »

Ça paraît.

FÂCHÉ NOIR CONTRE LE PARANORMAL

La semaine dernière, alors que je roulais par une nuit sombre sur une petite route de campagne, la voiture est tombée en panne. Dans le ciel, un grand objet lumineux venu d'une galaxie lointaine s'est approché pour se poser dans un champ, tout près.

Ben non, ami lecteur, je te niaise. Je viens de te raconter l'histoire de David Vincent dans la vieille série télé *Les Envahisseurs*. Ça ne m'arrive jamais, ce genre d'affaires-là. Je n'ai jamais rien vu qui pourrait ressembler de près ou de loin à un ovni, même pas une de ces sondes météorologiques avec lesquelles ils sont souvent confondus. Les témoignages sont pourtant nombreux; tout le monde semble avoir déjà vu des cigares métalliques ou des boules de feu flotter dans le ciel. Je commence même à penser que les extraterrestres me boudent. Et pourtant, je ne demande qu'à en voir pour y croire. Emmenez-en des petits gris, des cosmonautes du futur et des plumés agressifs qui ressemblent étrangement à des hiboux. S'ils sonnent à ma porte, je leur offre un café. (C'est aussi ce que j'offre aux enfants à l'Halloween, avec un succès mitigé.)

Depuis que je suis tout petit, j'espère assister à des phénomènes paranormaux. À l'adolescence, j'ai cessé d'attendre et j'ai commencé à être proactif. J'ai tenté de lire dans les pensées de Pinotte, le chien de la famille. Échec. J'ai tenté d'hypnotiser mes parents pour les faire léviter et aussi pour qu'ils m'achètent un walkman jaune. Échec. Tels Uri Geller ou Luke Skywalker, j'ai tenté de déplacer des petits objets ou de tordre des cuillères par la seule force de la pensée. Échec. À ce jour, la seule méthode qui fonctionne pour tordre des cuillères, c'est quand j'essaie de manger de la crème glacée Häagen-Dazs^{MD} tout juste sortie du congélateur. Le plus près que je réussis à m'approcher des frontières de l'inexpliqué, de ces insondables abîmes contrôlés par de puissantes et redoutables forces occultes, c'est quand j'ouvre le journal et que j'y consulte mon horoscope. Bélier : Vous pourriez recevoir une bonne nouvelle. Mangez plus lentement et vous digérerez mieux. Vos chiffres chanceux pour la semaine sont le 6 et le 33.

Ce n'est pas moi qui rejette le paranormal, c'est le paranormal qui me rejette. Encore aujourd'hui, dans l'appartement, je guette et j'espère les bruits étranges. Mais ce que j'entends finit toujours par avoir une explication simple et rationnelle : toilette qui déborde, famille de souris qui gruge les murs ou voisins qui copulent. Aucune grand-mère depuis longtemps décédée, vêtue d'un drap blanc et agitant des chaînes, ne vient chez moi pour s'amuser en déplaçant des meubles, en inscrivant des messages menaçants sur les murs avec du sang ou en essayant de m'étrangler dans mon sommeil.

Déception.

Pour compenser, j'écoute les histoires de fantômes avec intérêt, même si la source est habituellement un « ami d'ami ». Les amis d'amis, il leur arrive toujours des aventures abracadabrantes. C'est louche, mais je suis bon public. Là où j'ai un malaise, c'est quand un ami proche me parle d'une de ses expériences personnelles avec l'au-delà. J'ai toujours de la difficulté à me concentrer sur ce qu'il me raconte et, l'air de rien, j'évalue ses habitudes de vie et je le questionne sur sa consommation récente d'alcool, de drogues et de viandes périmées. Je m'inquiète et me demande vers quelles ressources je pourrais le guider. Psychologue ? Neurologue ? Alcooliques anonymes ?

Ce n'est pas du scepticisme mais de la jalousie.

FÂCHÉ NOIR CONTRE LE CÉLIBAT

Être célibataire, c'est mal. Apprécier le célibat, c'est encore plus mal. De toute façon, peu importe la conviction avec laquelle tu diras : « Je suis bien tout seul », tes amis ne te croiront pas vraiment. Que tu dises la vérité ou pas, peu importe ; ils entendront plutôt : « Je suis en dépression et je tenterai bientôt de me noyer dans mon bain » ou « Je me considère supérieur aux autres alors personne ne me convient, facke mangez-donc tous de la marde ». Si tu possèdes deux animaux domestiques ou plus, tu seras même considéré comme le « personnage excentrique et misanthrope qui a de bonnes chances de mourir seul, oublié de tous, dévoré par ses bêtes ». Célibataire, tu as mauvaise réputation.

Sois tolérant quand on tente de te présenter une personne seule, aussi moche, drabe, asymétrique, malodorante et désespérée soit-elle ; les personnes en couple croient que le célibat est un état dont il faut s'affranchir à tout prix et le plus rapidement possible. Il est normal que lorsqu'ils voient deux célibataires, ils soient tentés d'essayer de les unir pour ainsi les guérir du mal dont ils sont atteints. L'altruisme n'est pas un défaut, et tu as toujours le loisir de refuser les invitations à certains soupers louches qui sentent le *blind date*. Inquiète-toi plutôt lorsque ton entourage ne se donnera même plus la peine d'essayer de te faire rencontrer quelqu'un ; ce sera le signe que tu n'es plus présentable, que tu es rendu au-delà du moche, du drabe, de l'asymétrique, du malodorant et du désespéré.

À ceux qui retournent en couple après un célibat prolongé, je conseille d'imprimer le pense-bête qui suit pour faciliter votre réinsertion dans la vie à deux. Gardez-le à portée de main, et bon succès.

> Le lait et les jus dans un format d'un litre ou plus se boivent dans des verres et non à même le contenant.

> « Accroupi dix minutes devant le frigo ouvert à manger froids les restants les moins périmés » est une forme acceptable de souper, pourvu que votre partenaire n'en soit pas témoin. Selon mes sources, en société, il est préférable de faire chauffer les plats, voire d'en cuisiner de nouveaux.

> Un week-end passé évaché sur le divan à jouer à Angry Birds sur son téléphone ne constitue ni une « activité de couple », ni un « projet commun ».

> La voix ou les bruits que vous entendez dans la maison sont peut-être dus à votre conjoint(e). Demandez-lui avant d'appeler le 911, de sortir votre arme à feu ou de vous défenestrer en vous croyant atteint de démence.

> Pour la location de films, il vous faudra maintenant trouver un compromis acceptable entre *Star Wars* et *Eat Pray Love*. Prévoyez au moins une heure par visite au club vidéo plutôt que vos cinq minutes habituelles.

> Il est inutile d'interagir dans les médias sociaux avec quelqu'un qui est dans la même pièce que vous. Tentez de communiquer par les gestes, la parole ou les grognements.

> Vous connaissez deux célibataires ? Invitez-les à souper pour tenter de les sauver.

Personnellement, entre le célibat ou la vie de couple, mon cœur balance. Je n'arrive jamais à me décider lequel des deux me fâche le plus.

FÂCHÉ NOIR CONTRE LES RÊVES

Le Surréalisme est un mouvement artistique dont les œuvres sont inspirées par les rêves de leurs créateurs. Les toiles de Salvador Dalí sont particulièrement célèbres: montres molles, femmes à tiroirs ou éléphants avec de longues jambes minces. Ces gens-là avaient des rêves plus intéressants que les miens. Les rares dont je me souviens sont d'une banalité exemplaire: je déambule dans une épicerie, j'attends l'autobus, je fais une brassée de lavage, rien qui mérite d'être immortalisé en peinture. J'aurais fait un très mauvais surréaliste.

Mes rêves sont plates, mais les tiens sont encore pires.

Si tu veux être certain que je ne t'écouterai pas, commence une phrase par : « Hier, j'ai rêvé que… » et hop, c'est instantané : je hoche la tête en feignant l'intérêt alors que je pense à autre chose ou que j'essaie d'imaginer de quoi t'aurais l'air avec une moustache. À la limite, tes rêves sexuels pourraient être intéressants s'ils ne mettaient pas en scène des protagonistes bizarres ou dérangeants comme Bobinette, les quatre Télétubbies ou ta mère déguisée en furet. Ça ne t'arrive jamais de rêver de Natalie Portman ou de Scarlett Johansson ?

Peut-être que tu me racontes tout ça parce que tu crois que je suis doué pour analyser le symbolisme des rêves. Allez. Je peux bien faire un effort. Quand tu rêves que tu perds tes dents, ça veut dire que tu vas mourir bientôt dans un terrible accident. Quand tu rêves que t'es dans un beau grand voilier sur un lac avec tous les membres de ta famille, ça veut dire que tu vas bientôt mourir dans un terrible accident. Quand tu rêves à un corbeau, une pomme, un igloo, un chat, un camion, quand tu rêves que tu voles, quand tu rêves que tu ne voles pas, ça veut aussi dire que tu vas bientôt mourir dans un terrible accident. (N'hésite pas à me consulter à nouveau, si jamais je t'ai pas coupé l'envie de rêver.)

Je crois que ce dégoût profond me vient de la littérature. Quand t'es un personnage de fiction, tu ne devrais pas avoir le droit de rêver. J'ai toujours l'impression que l'auteur a cherché à remplir quelques pages sans trop se forcer en se disant que le lecteur, s'il a du temps à perdre, analysera cette scène onirique et finira par y trouver une certaine profondeur qui incite à la réflexion. Pour ma part, j'ai bien d'autres choses à faire.

Comme m'imaginer de quoi t'aurais l'air avec une moustache.

Au cinéma, je me demande combien de fois a servi ce «punch» usé: un consanguin difforme, avec des yeux exorbités et du blanc au coin des lèvres, s'approche de son innocente victime, une blonde pulpeuse qui somnole au pied d'un arbre, vêtue d'un short très court et d'une camisole blanche rendue transparente par la rosée du matin. La brute marche sur une branche qui craque et la belle se réveille. Elle se met à courir – gros plan jusqu'à la taille et effet de ralenti –, poursuivie par le gros moche qui finit par la rattraper. Il sort sa machette, pousse un grand hurlement de bête sauvage et... LA FILLE SE RÉVEILLE DANS SON APPARTEMENT. Ce n'était qu'un rêve! Oh là là! Quel soulagement! On t'a bien eu, spectateur crédule!

Au moins, la fille dans le film se fera kidnapper dans un petit instant par la brute en question, qui était en réalité cachée dans un placard. Ça lui évitera d'aller emmerder ses amis en leur racontant son rêve.

FÂCHÉ NOIR CONTRE LES HEURES D'OUVERTURE

Les heures d'ouverture de certains commerces ont le don de transformer une opération en apparence simple en un suspense haletant. Prenez ce jean que je viens d'acheter. Je devais faire couper les bords parce que les fabricants sont des rigolos, ils vous font des tailles 32 qui tomberaient parfaitement si vous mesuriez sept pieds. Petit tour chez le nettoyeur, donc, où une couturière réglera mon problème.

J'imagine.

LUNDI APRÈS-MIDI

J'entre. Une cloche fixée en haut de la porte informe tout le monde de mon arrivée. Dring-a-ling !

— Bonjour madame !

— Bonjour monsieur !

— Faites-vous des bords de pantalons ?

— Mais bien sûr !

Je sors donc le jean de mon sac.

— Ah, mais les mesures sont pas faites ?

— Ben, euh. Non. Vous savez, si j'avais eu de l'aide pour prendre les mesures, la personne aurait sûrement pu aussi faire les bords.

— Ouais ouais ouais. C'est ben mozusse, mais il va falloir revenir quand la couturière va être là.

— D'accord, oui, bien sûr. Elle est là quand ?

— Le mardi jusqu'à midi, le mercredi jusqu'à 13 h, le jeudi entre 14 h et 20 h et le vendredi, euh, ça dépend.

(Soupir.)

MARDI 11 h 02

Dring-a-ling !

— Bonjour madaaaaame !

— Bonjour monsieur !

— La gentille couturière serait-elle là en cette belle journée ?

— Mmm. Désolé. Elle est partie à 11 h, aujourd'hui. Exceptionnellement.

— Elle m'a l'air exceptionnelle, oui.

MERCREDI MATIN

Dring-a-ling.

— Bonjour. COUTURIÈRE ?

— Ah, non. Le mercredi, elle arrive à 14 h. Vous auriez dû le noter.

— J'aurais dû. Elle se laisse désirer, la petite dame, hein ?

— Hi hi. J'espère que ça vous occasionne pas trop de désagréments ?

— Non, non, ça va, j'ai quitté mon emploi pour pouvoir revenir ici à tout moment.

MERCREDI APRÈS-MIDI

Dring-a-ling.

— Salut les copinous ! C'est moi ! Le gars pas pressé avec son jean trop long !

— Hop ! C'est moi, la couturière !

— Voilà mon jean !

— Il est neuf ?

— Ben, oui. J'ai pas eu besoin de le porter vingt fois avant de m'apercevoir qu'il était trop long !

— Il a été lavé ?

— Pas encore ! Je l'ai pas porté, je l'ai pas sali !

— Il faut le laver avant. Parce que quand je fais les bords et que ça rapetisse au lavage, les clients veulent toujours qu'on leur rembourse.

— Je ferais jamais ça. Je suis beaucoup trop gentil et gêné et tout ! Faites-moi confiance. Je prends le risque.

— Moi, je peux pas le prendre.

JEUDI

Lavage. Séchage sur la corde à linge. Averse impromptue.

VENDREDI

Re-séchage.

SAMEDI

Couturière en congé.

DIMANCHE

Fermé.

LUNDI

Couturière en congé. (J'envie ses conditions de travail.)

MARDI DÈS L'OUVERTURE

Dring-a-ling!

— Devinez c'est qui?

À cette étape, tout se passe à une vitesse fulgurante. La couturière est là. Elle prend les mesures, met mon jean dans un sac et le lance dans une jolie montagne constituée d'autres sacs. Plutôt grosse, la montagne. Imaginez le volcan Eyjafjallajökull, mais sans la fumée.

— Êtes-vous pressé de l'avoir?

— Pas du tout! Dans dix ans, ce sera parfait! J'espère seulement qu'il sera pas trop démodé! Huhuhu! Je blague. Je suis très pressé. Vous pouvez pas imaginer à quel point. Une question de vie ou de mort.

— Parfait. Ce sera prêt dans un mois. Prenez pas de chances, revenez juste dans six semaines.

Je suis reparti en serrant les dents pour éviter de mordre la couturière à la gorge. Elle devait croire que je lui souriais.

« Quel problème de petit bourgeois !
Change de couturière, espèce de
sombre idiot ! Moi je n'ai jamais
fait faire les bords de mes
pantalons, je refuse de faire ce
compromis simplement pour avoir
une image socialement acceptable
face aux sales bourgeois qui me
jugent. »

Anonyme

FÂCHÉ NOIR CONTRE L'ENVIE DE QUITTER FACEBOOK

Une fois, j'ai quitté Facebook.

J'avais fait ça comme un pro. Je ne m'étais pas contenté de cliquer sur «supprimer le compte», puisqu'il suffit d'un simple clic pour le réactiver. Je m'étais débarrassé de tous mes amis un à un, de façon à ce que si l'envie me prenait de revenir, j'aurais à leur faire une nouvelle demande d'amitié et me faire humilier à chaque fois en me faisant dire: «Ah ah! T'as essayé de partir et t'es revenu, hein? Espèce de gros innocent pas de colonne!» (Mes amis peuvent être durs, parfois.) J'étais certain que l'orgueil serait plus fort que tout. Gnagnagna! Je vous quitte et je vous emmerde tous! C'est qui le meilleur, hein? C'est qui?

Une semaine plus tard, j'étais revenu.

Pas plus fin que tous les autres utilisateurs, qui en ont envie au moins une fois l'an, je suis incapable de partir. Ce n'est pourtant pas les raisons qui manquent. On se croyait marginal dans nos goûts mais on découvre que tous nos «amis» aiment les mêmes groupes obscurs que nous, les mêmes films méconnus, les mêmes livres épuisés. Facebook nous rappelle que nous sommes ordinaires. Il nous rappelle aussi qu'un ami nous a identifié sur une photo où l'on exhibe un double menton et un entrejambe mouillé alors qu'on essaie de remonter notre fermeture éclair en sortant des toilettes d'un bar où l'on s'est arrosé le pantalon sans le faire exprès en se lavant les mains.

On se rend compte que, malgré nos efforts à se lier d'amitié avec des vagues connaissances de l'école secondaire et avec les vedettes qui acceptent n'importe qui, on ne sera jamais «complet désolé». Et puis notre envie de partir sans être capable de le faire nous rappelle notre manque de volonté. Il semble que notre désir d'épier tout le monde et de pouvoir les juger dans le confort de notre salon l'emporte sur le reste.

Avant Facebook, je pouvais passer des semaines sans avoir de nouvelles de mes amis proches. Maintenant, je suis au cinéma et ça me démange d'aller lire leurs statuts parce que je n'ai rien su d'eux depuis au moins une heure. Quel est ce phénomène qui fait qu'on ressent un besoin viscéral de savoir que Françoise fait de la soupe aux lentilles et que Guillaume lit le dernier Matthieu Simard dans un café de la rue Masson? J'ai fait mes recherches: un peu comme l'herbe à chats le fait pour ton minou préféré, l'arrivée constante d'information nouvelle sur les réseaux sociaux agit comme de microstimulus et et déclenche tout un tas de trucs et de machins dans le cerveau, ce qui procure une légère sensation d'ivresse. (Voilà pour la partie informative de la chronique. Je te mettrais même un lien vers l'article scientifique où j'ai trouvé cette info si je ne l'avais pas perdu. Facebook m'a déconcentré.)

Les seules personnes qui ont réussi à quitter Facebook l'ont fait pour migrer vers un autre réseau social: Google+. Ils avaient envie de se sentir comme des précurseurs, j'imagine. Ils rêvaient d'être des découvreurs de territoires inexplorés, voire des grands bâtisseurs. Ça me donne plutôt l'impression qu'ils ont quitté un hôtel à l'ambiance festive pour se retrouver dans un grand stationnement souterrain à peu près désert. Je ne sais même pas comment ils s'y sont pris pour partir. Depuis la dernière mise à jour (il y en a au moins une par jour), l'option «supprimer le compte» est introuvable. Facebook, on y est, on y reste. Alors, aussi bien devenir des amis.

FÂCHÉ NOIR

CONTRE LE SNOBISME ALIMENTAIRE

Le snobisme alimentaire, comme tous les autres vices, s'acquiert très tôt dans la vie. À l'école, évidemment. Là où l'on désapprend toutes les bonnes manières que nos parents ont perdu leur temps à nous inculquer. Le besoin de se comparer et, idéalement, d'être meilleur que les autres vire très vite à l'obsession. Dans mon temps, c'était: «Ah ah! C'est moi le plus *cool*! J'ai deux Jos Louis comme dessert et toi t'as rien qu'une pomme!» En ce 21e siècle plus sophistiqué, c'est devenu: «Ah ah! C'est moi le plus *cool*! Mon sac de 100 grammes de biscuits faibles en gras saturés a un meilleur apport en fibres que le tien!»

On pourrait croire que ça se corrige dans la vie adulte, mais non. C'est pire. Croquez dans une pomme pendant une pause, au bureau. Vous verrez les regards inquisiteurs de vos collègues se tourner vers vous et c'est avec une démarche altière qu'ils repasseront quelques minutes plus tard devant votre poste de travail, l'air de rien, l'un croquant dans son kumquat juteux, l'autre picossant à la cuillère dans son pitaya bien mûr. Les gens rivalisent d'imagination pour humilier votre McIntosh poquée avec des fruits obscurs venus d'on ne sait où.

Non seulement les goûts, ça se discute, contrairement à la croyance populaire, mais c'est même la source d'interminables conflits. Par exemple, il y a des choses que votre entourage ne vous pardonnera jamais. Avouez à votre cercle d'amis que vous n'aimez pas les fruits de mer et attendez les réactions. «Quoi? Ben voyons! Ça a tu de l'allure! C'est tellement bon! Tu sais pas ce que tu manques! C'est quand la dernière fois que t'en as mangé?» Les commentaires sont si prévisibles que c'en est presque réconfortant.

À en croire ces snobs alimentaires, le homard serait un met raffiné. Pardon? Cette bête morte, étendue pour son dernier sommeil sur une grosse motte de riz blanc, accompagnée d'un bol de beurre à l'ail fondu? Rarement ai-je vu de scène aussi disgracieuse qu'un être humain, d'apparence civilisée quelques minutes avant, revenir à l'état sauvage en tentant de manger la bestiole et s'en mettre plein la chemise, la bouche dégoulinante de beurre et de riz trop cuit, en respirant fort et en souillant sans relâche de grandes poignées de serviettes de papier.

Les sushis, c'est la même histoire. Un peu comme les produits Apple, si on ne leur voue pas une aveuglante passion, on se fait regarder comme si on était dans un stade avancé de la lèpre doublé d'une varicelle sévère. On te précise que c'est probablement parce que t'as pas goûté les bons. C'est un fait statistique : tout le monde connaît LE meilleur resto de sushis. J'écoute mes amis et je prends des notes, j'ai donc une liste de cinquante restos de sushis qui sont tous LE meilleur. Ça me fait bien rire, parce que c'est moi qui connais LE seul et unique meilleur resto de sushis. Mais je ne te dirai pas c'est lequel parce que je ne voudrais pas passer pour un snob.

Quoiqu'il est probablement trop tard.

NOIR

TRE

D'EXCLAMATION

! ! ! ! !

Étant du genre stoïque et contemplatif, je suis rarement porté à m'exclamer. Je me dis qu'on peut être parfaitement heureux sans avoir besoin de crier notre bonheur à chaque fois qu'on ouvre la bouche. En personne, tout va, mais c'est dans la correspondance écrite que ça se passe moins bien. On s'est mis à me reprocher mon manque d'enthousiasme, mon pessimisme, on se demandait si j'allais bien, on défonçait ma porte à toute heure du jour ou de la nuit pour voir si je n'étais pas en train de me pendre. Puis, j'ai perdu des amis. Des offres de travail. Mes messages restaient sans réponse. « Qu'est-ce qui se passe ? » ai-je demandé à un psy. Il a jeté un œil dans ma boîte de courriel et m'a diagnostiqué sans plus attendre. « Vous ne vous exclamez pas suffisamment. »

Mais oui ! Voilà ! C'était si simple ! Merci, docteur !

J'ai alors essayé d'en mettre à la fin de chaque phrase, mais c'était un peu exagéré ! On me suggérait alors de réduire mes doses de café et de m'inscrire à des cours de yoga ! De fait, remplacez tous les points dans cette chronique par des points d'exclamation et je vous assure que j'aurai l'air d'un détraqué ! Je suis retourné voir le docteur ! « Vous savez, le point d'exclamation est un indice de votre santé mentale. Il faut trouver le bon dosage, l'équilibre. Dans un courriel moyen, insérez-en trois. Vous m'en donnerez des nouvelles. Et jamais plus d'un seul à la fois. »

J'ai suivi les conseils du bon docteur. Trois points d'exclamation, habilement disséminés dans chaque courriel. Je vous jure que ma vie a changé. Les amis sont revenus, les offres de travail affluent, on me trouve rayonnant !

N'empêche, le point d'exclamation m'a toujours énervé. Dans les médias écrits, on s'en sert généralement pour amplifier une nouvelle qui, autrement, ne serait d'aucun intérêt. Ginette Reno commence une année sabbatique ! En publicité, c'est encore pire. Il semble posé là rien que pour nous crier des ordres. Achetez tout de suite et payez plus tard ! Profitez de nos rabais inégalés ! Ceci est mon corps, prenez et mangez-en tous !

Devrais-je te parler de cette amie qui en utilise plusieurs un à la suite de l'autre ? Allez, je t'en parle. Ça m'a pris du temps, mais j'ai remarqué une chose terrible dans ma correspondance avec elle. Prenons un exemple concret. Elle m'a récemment annoncé cette nouvelle : « Je me suis acheté un chien !!!!!! !!!!!!!!!!!!!!!!!!!! » J'étais bien content pour elle. Mais voilà que je lui annonce que je viens de gagner un million de dollars à la loterie. (Ce n'est pas vrai, non. C'est un test.) Elle me répond : « Je suis très contente pour toi !!!!!!!!!!!!!!!!!!!!!! »

J'ai compté.

28 points d'exclamation pour sa nouvelle, seulement 22 pour la mienne. Il m'apparaît clair que c'est une personne narcissique qui se soucie peu du bonheur des autres. Va sans dire que je ne lui ai plus jamais donné de nouvelles. Je ne lui répondrai que quand son « Où es-tu ??? » comptera au moins 28 points d'interrogation.

FÂCHÉ NOIR CONTRE LES HIPSTERS

Cette semaine, j'avais l'intention de me fâcher noir contre ta mère, les coins de lits qui surgissent de nulle part pour nous casser les orteils ou l'étrange bête hydrocéphale enchaînée dans la cave qui s'amuse à hurler au milieu de la nuit, mais j'ai vu dans ma liste de sujets en attente que j'avais un truc plus pressant : Les hipsters. Puisque c'est un phénomène de mode, je crois qu'il y a urgence de se fâcher contre eux avant qu'ils ne disparaissent.

« Mais peut-être suis-je un hipster sans le savoir ? » réalises-tu soudain, transi de terreur. Pour savoir si j'ai des raisons de me fâcher contre toi, fais ce simple test :

JE SUIS UN HIPSTER SI…

Je suis ironique et baveux et je n'aime que les groupes musicaux obscurs ou inconnus. Je les renie d'ailleurs et ne parle plus d'eux qu'avec dédain dès qu'ils ont un succès à la radio. Je carbure à la nouveauté. Je rejette la consommation de masse et je passe beaucoup de temps à en parler sur mon blogue, assis chez Starbucks avec mon MacBook à boire des cafés à 12 $ entre deux séances de shopping chez American Apparel. J'exprime mon originalité et ma créativité en aimant toutes les mêmes choses que mes confrères hipsters. Je travaille dans la publicité ou les médias, mais je me fais un devoir de convaincre les gens que mon jugement n'est aucunement influencé par la publicité ou les médias. Ce paradoxe me confère une touchante naïveté.

RÉPONSE AU TEST : Si tu as lu ce test avec dédain en te disant que les tests, c'est tellement 2012, bravo, tu es un hipster.

Pas de quoi se fâcher jusqu'à maintenant, non ? Cherchons encore. L'homme hipster est tellement convaincu de sa beauté qu'il ne se gêne pas pour s'enlaidir en portant des grosses lunettes de mononcle, des moustaches « ironiques » ou des barbes mal entretenues « ironiques ». La femme porte ses lunettes encore plus grosses, cherche à s'enlaidir aussi mais y parvient généralement moins bien. (Il lui reste un fond d'orgueil, j'imagine.) Les deux travaillent dans un boulot qui a l'air *cool* vu de loin et qui leur donne l'impression d'être des artistes libres et fous. Vu de près, ce n'est qu'un travail mal payé dans le domaine des communications, aux heures supplémentaires nombreuses. Il n'y a toujours pas là de quoi se fâcher contre eux. Il faut bien que quelqu'un fasse le sale boulot.

La seule raison que je pourrais invoquer pour haïr les hipsters, c'est qu'ils sont jeunes. Le poids du monde ne leur est pas encore tombé sur les épaules. On les envie d'aller voir un spectacle rock un soir de semaine, de passer une nuit blanche et d'être capables de fonctionner normalement au travail le lendemain. On les envie aussi de ne jamais prendre de poids alors qu'on ne les croise jamais dans les gyms. (S'ils y vont, c'est sans doute pour faire de l'elliptique ironique.)

Non, désolé, je n'arrive pas à me fâcher. Je suis seulement un peu jaloux. Et, puisque tu as compris depuis longtemps que cette chronique ne fait que prêcher l'amour et la tolérance, je t'encourage à faire comme moi : cesse de les mépriser, montre l'exemple et, cette semaine, serre un hipster dans tes bras. Ils n'ont pas l'air propres propres, mais ils ne sentent pas trop mauvais.

FÂCHÉ NOIR CONTRE LES VOYAGES

L'angoisse de la performance, ça n'arrive pas que dans le lit. Ça arrive aussi quand vient le temps de voyager. Deux petites semaines de congé par année, c'est peu, alors pas question de faire ça n'importe comment. À l'ordre du jour : bronzer, boire, manger, visiter des musées, faire de longues promenades, s'amuser, se détendre, acheter un porte-clé avec notre nom écrit dans une langue étrangère. Organisation, optimisation, rentabilité.

Étape importante : emprunter des guides de voyage à nos amis. « Chanceux ! J'y ai été il y a deux ans, j'ai tripé comme un malade ! » C'est à ce moment que l'angoisse s'installe. Parce que vous aussi, vous voulez triper comme un malade. Et vous aurez des comptes à rendre. Triper comme un malade devient une obligation.

Les amis qui n'y sont jamais allés ajoutent au stress : « C'est pas dangereux, ce pays-là ? Il paraît qu'il y a des pickpockets partout, non ? Et des cartels de drogue ! C'est pas là que quelqu'un s'est déjà fait trancher un doigt pour se faire voler une bague qui valait rien ? » Vous achetez sans hésiter une pochette pour la taille qui se dissimule sous les vêtements pour y ranger votre passeport et votre argent. Vous n'avez pas envie de raconter votre voyage et d'entendre : « Je te l'avais ben dit ! Encore chanceux que tu te sois pas fait voler un rein ! »

Au moment de partir, le bon sens vous fait oublier de mettre cet accessoire ridicule dans votre valise. Qui donc a envie de porter une gaine quand il s'en va prendre du poids dans des restos à l'étranger ? Concession, vous laissez aussi tous vos bijoux à la maison. Vous partez avec dix doigts et vous souhaitez les avoir au retour.

Arrivé là-bas : la météo est un stress perpétuel. Au prix qu'on paie, on exige rien de moins que du soleil tous les jours. On se retrouve à traquer le moindre petit cumulus tout blanc et tout joufflu qui s'approche et à le pointer du doigt avec terreur comme si c'était un des quatre cavaliers de l'Apocalypse.

Et puis la vraie vie prend le dessus sur nos attentes. C'est triste à dire, mais ce n'est pas parce qu'on est à Nice que la salade niçoise est nécessairement réussie. Il arrive qu'un Bolognais rate sa sauce bolognaise. Ou qu'on soit confronté à une toilette turque ailleurs qu'en Turquie.

Parfois, puisqu'on a tout réservé des mois d'avance, et même si le voyage se déroule sans anicroche, on se rend compte qu'on n'est tout simplement pas à la bonne place au bon moment. On est à New York alors qu'on aurait préféré le petit chalet en bois rond au bord d'un lac privé. On est sur une plage de sable fin entouré de top-modèles nudistes mais on aurait préféré la fébrilité culturelle de Paris ou de Londres.

Ça arrive.

Pour sauver la face, on tente de faire croire qu'on est content. On se photographie avec l'intention d'étaler notre beau gros bonheur sur les réseaux sociaux. Mais, en voyant à quel point on a l'air sale et fatigué, on appuie sur «effacer», ni vu ni connu. À notre retour, après avoir pris quelques jours de repos à la maison, on se photographie à nouveau mais cette fois sur notre balcon, reposé et souriant, et on fait croire à nos amis que c'était sur la terrasse d'un resto branché de Buenos Aires, de Rome ou de Berlin. On conseille à tout le monde d'y aller.

Au moins, l'honneur est sauf.

FÂCHÉ
NOIR
CONTRE LES
TATOUAGES

Le tatou est un petit mammifère à carapace dure, vivant dans les steppes d'Amérique tropicale. Il se nourrit d'insectes tels que les fourmis, les vers et les termites, et parfois de petits fruits tombés des arbres. Alors non, ce n'est pas un tatou que tu rêves d'avoir dans le bas du dos, c'est un tatouage. Et il faut que je te prévienne : c'est passé de mode. Eh oui. Juste au moment où te venait l'envie d'en avoir un ! C'est devenu *out* le jour où ta mère s'est fait tatouer une salamandre sur le pied pour garder un souvenir impérissable de son voyage à Cancún dans un tout inclus.

Finis, les tatouages.

Il faut dire que certaines personnes ont exagéré. Je parle des douchebags qui, en plus de se muscler les bras pour pouvoir y étaler encore plus de barbelés, se sont mis à porter des t-shirts, des casquettes, des chemises et des jeans délavés ornés de motifs tribaux de peuplades dont ils n'ont jamais entendu parler. C'est de la faute aux douchebags si le niveau mondial de tatouage a atteint son point de saturation. Alors hop, on ferme les studios de tatouage et on ouvre des studios de « détatouage. » En 1988, au moment où tu as découvert l'alcool dans le bar de tes parents et que tu ne savais pas quoi faire de l'argent de ton premier emploi d'été, ça t'a semblé une bonne idée de te faire tatouer Fabrice et Rob de Milli Vanilli sur chacun de tes genoux dans un salon de tatouage crade de la rue Ontario. À l'époque, tu ignorais qu'ils ne chantaient pas pour vrai, et tu avais l'excuse d'être enivré par le Schnapps aux pêches. Le moment est venu de réparer les erreurs du passé. Dis adieu au signe chinois que tu portes dans ton cou. Et, maintenant qu'on en parle, t'aurais pu choisir un tatoueur qui parle chinois plutôt qu'un unilingue francophone : à cause de quelques traits mal placés, ce n'est pas « courage et honneur » que tu t'es fait graver sur les pectoraux, mais bien « courgette et odeur ».

Les tatoueurs sont des artistes et, comme tous les artistes, il y en a des bons, des mauvais, et des très très mauvais qui se pensent bons. Regarde ton tatouage attentivement. Avoue que la face de ton enfant sur ta cuisse ressemble plutôt à une poupée monstrueuse aux dents pointues tirée d'un cauchemar de Stephen King. Avoue que tu portes souvent des chemises à manches longues rien que pour cacher la citation de Baudelaire sur ton avant-bras qui t'enivrait hier mais qui te semble quétaine aujourd'hui. Avoue qu'un soleil noir autour de ton nombril, c'est juste dégueulasse.

Tu rêvais de ressembler à Lisbeth Salander, la punkette sexy de la série Millénium, mais t'as l'air d'une danseuse maganée d'un bar topless de Val-Alain. C'est correct. Tout le monde peut se tromper. Fais-nous plaisir et va te faire enlever ton dragon qui ressemble à un canard déplumé qui se serait fait rouler dessus par un dix roues. Ça fera pas mal. Et, avec l'été qui arrive, nos yeux te diront merci.

FÂCHÉ NOIR CONTRE LE MANUEL D'INSTRUCTION

J'ai connu l'époque des grosses boîtes de LEGO^{MD} de base, remplies de blocs de différents formats et de couleurs variées. Il y avait des roues, des fenêtres, un peu n'importe quoi, et on en faisait ce qu'on voulait. C'était avant l'arrivée des ensembles contenant des blocs étranges qui ne servent qu'à faire une chose précise : une batmobile, un vaisseau spatial de Star Wars^{MD} ou que sais-je encore. Adieu créativité, il faut maintenant suivre le manuel d'instruction.

Je n'aime pas qu'on me dise quoi faire et, par conséquent, je n'aime pas les manuels d'instructions.

Ils sont généralement écrits en quinze langues mal traduites, au point que même le français ressemble à une langue étrangère. *Bloquez le coulisseau A avec vis B sur le moitié avant du tube de le côté la plus large de sorte que la plus large est vers l'avant du côté extérieur de la portée.* Ah bon ? *Enclenchez le manchon dans la clenche du caisson avant de clencher le caisson dans l'enclenche du manchon.* Hein ?

D'abord, croyez-vous vraiment que j'ai envie de suivre les instructions d'assemblage quand vient le temps de monter une chaise IKEA? Franchement. Qui a besoin d'un manuel pour monter une Vaarlöp ou une Morvitäs? Une chaise, ça reste une chaise, même avec un nom pareil. Ça a l'air tout simple. Cette planche à cinq trous va probablement là et la planche à six trous ira donc là, tandis que la petite planche à trois trous ne peut que s'insérer ici en la tordant un peu et en la fixant à l'aide de la vis A et, euh... non. C'est comme ça que tu te retrouves avec le dossier de la chaise en dessous du siège et les accoudoirs qui pointent vers le nord.

À l'arrivée du beau temps, ma copine et moi avons acheté a) des brochettes et b) un BBQ dans le but évident de faire griller A sur B le soir même. Dans la boîte m'attendaient une centaine de vis et d'écrous, tous semblables au premier regard mais de tailles différentes. Ma blonde m'a regardé, découragée. «On aurait peut-être dû payer pour le faire assembler.» Oh que non. J'ai déguisé mes dents crispées en sourire. «Laisse-moi faire, ça va bien aller.»

Surtout que je vais suivre le manuel d'instruction.

Je ne suis pas con, j'ai eu ma leçon avec les Vaarlöp et les Morvitäs.

Dans le manuel mal imprimé de quarante-deux pages, toutes les pièces qui s'emboîtent sont colorées en noir sur gris foncé. Je me concentre, j'ouvre grand les yeux pour mieux voir et je réprime mes envies d'improviser. Ma blonde passe une fois de temps en temps avec un petit mot encourageant. Je sais que son «lâche pas» signifie «on devrait peut-être commander de la pidze», mais elle m'aide tout de même en allant récupérer les vis A qui chutent du balcon B un étage plus bas sur la pelouse C.

Quatre heures plus tard, j'en viens à bout. Ma blonde somnole sur le divan. Je la secoue pour qu'elle se réveille et qu'elle admire le résultat. C'est la nuit mais avec une lampe de poche on voit bien que c'est une réussite. J'allume le brûleur en y jetant une poignée d'allumettes enflammées. Le bouton d'allumage ne fonctionne pas mais bon, c'est un détail.

Je profite de l'obscurité pour ramasser une roue, quatre boulons, trois écrous, deux clapets et un manchon qui semblent de trop et je les jette discrètement dans un coin.

Les brochettes sont délicieuses.

FÂCHÉ NOIR CONTRE LES PHRASES TOUTES FAITES

(DEUXIÈME PARTIE)

Un autre tour d'horizon de ces phrases énervantes qu'on regrette chaque fois qu'elles sortent de notre bouche.

« Je vais me coucher moins niaiseux à soir. »

Ah, non, désolé. Vraiment pas. Il ne faudrait pas confondre intelligence et connaissance. C'est pas parce que tu viens tout juste de mémoriser une nouvelle information que ton quotient intellectuel vient de bondir vers les sommets. Un gros con capable de citer de mémoire le nom des sept nains dans Blanche-Neige reste tout de même un gros con.

« C'tait un ben bon monsieur. Tranquille. Il faisait son épicerie tous les samedis. On avait le même coiffeur... »

Je te l'accorde, découvrir que son voisin est un tueur en série a de quoi surprendre. Mais rares sont les détraqués qui ont l'élégance d'afficher clairement des signes de leur folie, tel Charles Manson et sa croix gammée tatouée sur le front. Les tueurs en série qui désirent s'adonner à leur passion sans se faire repérer ont plutôt tendance à être discrets et à ne déranger personne. Et même eux doivent manger. Et leurs cheveux poussent. Et ils font du lavage, comme tout le monde. Ce sont d'ailleurs les spécialistes pour déloger les taches de sang des tissus délicats.

« Maudit pont ! Pourquoi c'est toujours bloqué ? »

Si c'est ce que t'es en train de hurler, le poing sur le klaxon et les yeux sortis des orbites, ça signifie que toi aussi t'es dans ta voiture, bloqué sur ce pont. As-tu remarqué l'ironie de la chose ? Tu ne fais pas partie de la solution, mais du problème. Alors tu vas devoir prendre ton mal en patience. Allume la radio et chante des chansons.

« Un enfant de deux ans aurait pu peindre une toile pareille ! »

L'art contemporain, comme toute autre chose, c'est pas parce qu'on ne comprend pas c'est quoi que c'est nécessairement niaiseux. L'homme de Cro-Magnon avait la fâcheuse habitude de frapper à coup de gourdin tout ce qui lui était inconnu, et certaines personnes ont tendance à reproduire ce comportement, en dénigrant ce qu'ils ne comprennent pas, comme l'art contemporain, la théorie de l'évolution ou la chevelure d'Alex Perron. Il faut savoir que l'art n'est pas généré par des gens qui « auraient pu le faire », mais bien par des gens qui ont retroussé leurs manches et qui l'ont fait.

«On utilise seulement 10 % de notre cerveau.»

Cette théorie a peut-être été vraie en 1966, pendant quelques heures, avant d'être invalidée par tout un panel de scientifiques. Et c'est ce qui est merveilleux avec la science : elle évolue. Pourtant, on nous ramène sans cesse des faits discrédités depuis longtemps. Les livres du genre « utilisez le plein potentiel de votre cerveau » sont écrits par des « docteurs » peu enclins à révéler que, dans la plupart de nos activités quotidiennes, toutes les sphères de notre cerveau sont utilisées. (Oui, même quand on joue à Angry Birds sur les heures de bureau.) Dans la même optique, il est bon de savoir que les autruches ne se cachent pas la tête dans le sable, que David Copperfield ne fait pas vraiment disparaître des avions de ligne et que les éclairs et le tonnerre ne sont pas des signes que les Dieux sont fâchés.

«Moi, dans mon temps...»

Tu sais, grand-papa, que si t'es nostalgique de ton temps, tu peux aller le visionner presque intégralement sur YouTube ?

«Quand Maladie rime avec Pauvreté.»

Ben non, justement. Ça rime pas.

FÂCHÉ NOIR CONTRE L'ÉTÉ

ÉTÉ : Saison qui dure cinq semaines ou neuf mois, selon qu'on calcule à partir de la température ou de mes allergies.

L'été et moi, on ne s'entend pas très bien. Ça date probablement de ma jeunesse et du chalet que mes parents louaient chaque été à Saint-Hippolyte. C'est là que j'ai vécu des expériences mémorables telles que m'asseoir sur un nid d'abeilles, m'électrocuter en touchant en même temps le poêle et le frigo, tous les deux sans mise à terre, ou flotter sur le lac de l'Achigan sur une chambre à air rapiécée en espérant qu'elle tienne le coup parce que personne ne m'avait appris à nager et que mes parents se sont dit : « Tiens, laissons dériver le petit dernier sur le lac jusqu'au coucher du soleil, ça nous donnera un moment de répit, il reviendra peut-être en sachant enfin nager et, au pire, ça lui fera un excellent sujet de chronique un jour. » J'associe donc d'instinct l'été à : course folle en zigzag en hurlant, poursuivi par un essaim d'abeilles meurtrières, électrocution et désespoir sur une chambre à air en attendant l'inévitable noyade.

Aujourd'hui, ma vie est beaucoup moins périlleuse, et ça me convient plutôt bien. À comparer aux insectes en furie, fuir les foules qui se bousculent aux omniprésentes ventes trottoirs des rues Mont-Royal ou Saint-Laurent est un jeu d'enfant. Je me demande cependant pourquoi les bas blancs ou les coussins vendus habituellement au fond de la boutique attirent l'intérêt simplement parce qu'ils sont entassés dans des boîtes de carton sur une table en plein air. (Une étude récente révèle que 98 % des achats impulsifs sont des bas blancs ou des coussins.)

Le plus dur à vivre, c'est la pression sociale qu'exerce le beau temps sur ma vie d'auteur. « Comment ça que t'es pas sorti aujourd'hui ? C't'un vrai péché ! Il faisait super beau ! » Les gens qui font du 9 à 5 se fâchent quand ils savent que moi, l'ingrat, j'ai l'indécence de rester à l'intérieur alors que j'ai même pas un « vrai » travail. J'ai beau parler d'échéanciers qui approchent et de six projets urgents à terminer en même temps, ils restent convaincus que je me repasse des vidéos de chats en boucle sur YouTube plutôt que de profiter de la vie. Expliquer que je n'aime ni cramer au soleil, ni manquer d'air à cause du facteur humidex qui bat des records ne les convainc pas plus. Préférer l'ombre au soleil, c'est louche. Alors, pour sauver ce qui me reste de réputation, il m'arrive parfois d'errer dans un parc, entre les merdes de chien et les vieux weirdos qui bronzent en G-string, buvant un triple mokafrappuccinochaï glacé en attendant l'insolation.

La plupart des gens adorent regarder les orages d'été à la fenêtre du chalet en humant l'air chaud et mouillé. Eh bien, devine quoi, moi j'adore regarder le beau temps par la fenêtre de mon appartement la face dans le ventilo. Rassure-toi, je suis plutôt normal et fonctionnel pendant les trois autres saisons.

Allez, profite bien de l'été, des abeilles et des coussins, et envoie-moi une carte postale.

« Vous n'auriez pas un petit peu le sens de l'exagération, par hasard ? Cessez donc de tout dramatiser. »

Anonyme

FÂCHÉ NOIR
CONTRE LE
GARS
QUI KLAXONNE

Embouteillage. Sur un pont. Je m'en vais souper chez des amis, mais rien ne presse ; je suis en avance et j'ai une compil' de Hank Williams qui joue dans la voiture. C'est beau, la vie. Le conducteur derrière moi donne un coup de klaxon. Un autre. Son troisième depuis deux minutes. Il y a toujours un taré qui klaxonne dans ce genre de situation, et je me suis mis à penser que ça devait être le même gars à chaque fois. Quelqu'un qui n'a rien d'autre à faire de ses journées que de se jeter dans le trafic pour y emmerder les gens. Je respire, je monte le son, tout va bien, c'est beau la v... Coup de klaxon. Bon. J'appuie sur «pause» et Hank se tait. Je déboucle ma ceinture. J'actionne le frein à main et je sors de la voiture, sans prendre la peine d'apporter la carabine, le bâton de baseball ou même le poivre de cayenne. On va régler ça à l'amiable.

Je souris et lui fais un petit signe pour qu'il baisse sa fenêtre. Il s'exécute.

— Je peux te poser une question ?

— Euh. Oui oui.

— J'imagine que tu vois comme moi toutes ces voitures devant. Il y a rien qui bouge depuis deux minutes. La curiosité me tenaille les tripes, il fallait vraiment que je te le demande : quand tu appuies sur ton klaxon, là, qu'est-ce que tu crois qu'il va se passer ? Est-ce que tu t'imagines que c'est un bouton magique qui fait disparaître les voitures ? Crois-tu qu'en faisant du tapage les gens vont sortir de leurs voitures, les prendre à bout de bras et les jeter dans la rivière pour que tu puisses enfin rentrer chez toi ? Ou, non, attends. Peut-être que t'es un meneur né, toi, un genre de berger, c'est ça ? «Par ce coup de klaxon, je vous invite à vous rallier tous derrière moi et je vous amènerai à bon port.» Un truc dans le genre ? Et, d'abord, c'est quoi ton nom ?

— Richard. Richard Camirand.

— Richard, es-tu le messie ? T'es pas obligé de me répondre. Si tu es le messie, prouve-le. Dégage le chemin et guide-nous vers la lumière. Sinon, t'arrêtes d'appuyer sur ce machin TOUT DE SUITE. On se connaît pas encore beaucoup, mais je pourrais vite devenir ton pire cauchemar. Je sais ton nom.

Je vais trouver où t'habites. Et j'irai klaxonner sous ta fenêtre toutes les nuits pour le reste de tes jours.

J'ai regagné ma voiture sans entendre un bruit. Il a bien vu dans mon regard fou que j'étais capable de le faire.

Maintenant, tu le sais. Si un emmerdeur klaxonne derrière toi, dis-lui que tu connais son nom. Richard Camirand. Je te donnerai son adresse, qu'on s'y rencontre pour un concert nocturne.

CE QU'IL FAUT SAVOIR

Selon le Code de la route, le klaxon sert à trois choses :

1. Signifier à ton collègue de covoiturage que tu es arrivé, sans avoir à te rendre jusqu'à sa porte pour sonner parce que tu es obèse, paresseux ou simplement mal élevé.

2. Prévenir un piéton qu'il se fera rouler dessus dans moins d'une seconde.

3. Révéler au plus grand nombre de témoins possibles que lorsque le feu est jaune et sur le point de tomber rouge, tu es du genre à commettre une infraction en appuyant sur l'accélérateur.

FÂCHÉ NOIR CONTRE LES VOISINS

Je sirotais mon cinquième café de la matinée en cherchant un sujet de chronique, le regard en l'air, comme si les idées allaient soudainement s'inscrire d'elles-mêmes au plafond de mon bureau. Attiré par le bruit étrange devant chez moi, je me suis posté à ma fenêtre et, pour tuer le temps, j'ai observé deux petits délinquants tenter de démolir un vélo à coup de bâton de baseball. Leur optimisme était presque touchant mais, malgré qu'ils aient en leur possession un solide Louisville Slugger en aluminium, je doutais fort qu'ils arrivent à tordre le vélo dans une forme sculpturale intéressante avant de se lasser et de retourner à leurs loisirs habituels (enfoncer des fourchettes dans des prises de courant, brûler des voitures, manger leur caca ou noyer des chats). Je les ai laissés à leur bricolage et j'ai été m'asseoir sur le balcon d'en arrière.

Il n'y avait rien d'autre que le spectacle habituel : le guitariste amateur gratouillait les deux seuls accords qu'il a appris, dans l'ordre et dans le désordre. Son voisin de palier se coupait les ongles dans une pose élégante qui laissait voir ses couilles poilues par un trou dans son boxer élimé. Au rez-de-chaussée, un Jack Russell alternait entre détruire un plant de tomate et pisser sur de la rhubarbe.

[Fait amusant : saviez-vous qu'un Jack Russell, lorsque son maître est absent, est capable de japper toute une nuit sans jamais s'arrêter ?]

Et puis, miracle, j'ai enfin vu LA BÊTE DE L'OMBRE^{MD}. Celle qui se terre sur son balcon, dans l'encoignure d'un immeuble que je ne peux pas voir d'où je me situe. Depuis plus d'un an que j'habite ici, je n'avais jamais pu voir à quoi la bête pouvait bien ressembler. Je l'avais entendu, certes. Beaucoup. La bête tousse et crache, une vraie belle toux de fumeur, tonitruante et bien grasse, qu'on imagine pleine de mucus grumeleux, si puissante qu'à chaque fois je me demande si elle ne vient pas d'exhaler son dernier souffle. Mais non. Tous les jours, avec une régularité exemplaire, à partir de 7 h 30 le matin jusqu'au soir, elle tousse et crache. Je l'ai tendrement surnommée « mon réveille-matin venu des entrailles de l'enfer ».

L'aspect de la bête m'a plutôt déçu. Pour vivre parmi les humains sans trop se faire remarquer, elle a pris l'apparence d'une dame comme j'en croise souvent dans le quartier : teint vert, surplus de poids et repousse apparente. Elle tenait une bouteille de bière d'une main et une cigarette de l'autre. Elle a passé un bras par-dessus sa clôture et a versé de la bière par terre pour faire boire un chien, peut-être alcoolique sans que ses maîtres en comprennent la raison. LA BÊTE DE L'OMBRE^{MD} a ri et toussé, puis est repartie pour un autre mille ans dans la moiteur humide de l'obscurité, son habitat naturel.

Et moi, je n'avais toujours pas d'idée de chronique.

J'ai remis l'écriture à plus tard et je me suis occupé des poules que j'élève dans ma cour. Et puis j'ai sorti ma cornemuse. C'est un instrument difficile à maîtriser, mais je suis bien déterminé à apprendre à jouer tous les succès de la Compagnie Créole d'ici quelques semaines.

FÂCHÉ NOIR
CONTRE LES SALLES DE
CINÉMA

Douze guichets automatiques pour acheter des billets. Onze sont en dérangement. Le dernier est utilisé par quelqu'un qui cherche son film dans la liste, le trouve, soudainement doute, s'interroge, «Woody Allen, il n'est plus ce qu'il était», prend le risque d'être déçu, commande par erreur trente-huit billets, recommence, hésite devant les combos – popcorn, boisson gazeuse, barre de chocolat ou nachos, jus, nounours en gelée – préfère s'abstenir en voyant les prix, pense même se mettre au régime, jette un regard horrifié à la file qui s'allonge derrière lui, termine sa transaction en tremblotant, met sa carte de crédit dans un trou puis dans l'autre, au hasard, l'insère finalement au bon endroit, compose son NIP et attend que ses billets sortent.

Mon tour. J'achète mon billet en quelques gestes lestes et gracieux. (Pourquoi ne pas mettre mon expertise et ma dextérité au service des gens? Si ça vous intéresse, j'offrirais des cours de groupe tous les mercredis.

M'écrire en privé.) J'entre au cinéma. Moyennant un léger supplément, j'ai droit à une salle où le film sera projeté en UltraAVX, THX et DOLBY 7.1 haute-fidélité à projecteur numérique 4K 3D avec fauteuils D-BOX vibrants. Qu'est-ce que ça signifie ? Je n'en sais rien. Ce que je sais, c'est que les fauteuils sont en cuirette devenue lustrée par le gras de cheveux et le beurre à popcorn.

On présente à l'écran quelques règles de civilité (range ton cellulaire, ferme ta yeule), que personne ne remarque. Tous les spectateurs sont affairés à partager un événement extraordinaire sur les réseaux sociaux à l'aide de leurs téléphones. « Je suis au cinéma, LOL. »

Au prix que je paie, comment se fait-il que j'aie des voisins ? Je rêve de boudoirs séparés et insonorisés pour isoler les différents groupes :

1. Les vieux qui aiment réagir à haute voix. « Ah mon doux ! Y'é tout le temps bon, Patrice Zucchini, hein, Maurice ? Maurice ? Dors-tu ? »

2. Les jeunes qui découvrent le plaisir de crier. « Pénis ! pénis ! pénis ! LOL ! »

3. Les clairvoyants qui prédisent ce qui va se passer dans la prochaine scène.

4. Les intellectuels qui analysent les autres films qu'ils ont vus sans se préoccuper de celui en cours.

Et puis, tant qu'à y être :

5. Une salle pour ceux qui mangent des trucs qui puent.

6. Une autre pour ceux qui mangent des trucs qui font *cric*, *crac*, *croc* ou *crounche* quand on les croque.

Et puis, quand je vais au cinéma, j'aimerais vraiment ne pas mettre le pied sur une saucisse à hot-dog échappée d'un pain six rangées plus haut et qui a roulé jusqu'à moi.

(7. Une salle pour les mangeurs de hot-dogs.)

« Si t'es pas content, reste chez vous pis crève, sac à marde », me dirais-tu si tu étais impoli. (Ce que tu n'es pas.) C'est ce que je ferai dès que j'aurai les moyens de m'offrir un téléviseur de soixante-quinze pouces avec haut-parleurs de trente mille gigawatts. D'ici là, je continuerai de fréquenter les salles de cinéma. Mais sois rassuré, ami lecteur. Je sais que la règle de base pour vivre en société c'est de savoir s'adapter à son environnement. Je fais de mon mieux pour me fondre à la foule : je mâche la bouche ouverte, je sape, je rote, je consulte mon téléphone à tout moment et je lance des saucisses en criant « pénis ».

FÂCHÉ NOIR CONTRE LE TOURISTE QUÉBÉCOIS

Saint-Machin de J'oublie-le-nom, petit village des Cantons de l'Est. Matin. Été. Vacances. J'attends mon tour dans ce qui est probablement le seul commerce de l'endroit, une boulangerie artisanale qui met l'eau à la bouche avec ses odeurs de brioches et de café frais moulu. Devant moi, un homme tente de faire un choix.

— C'est quoi votre café du jour?

Regard perplexe de la jeune boulangère. Il répète et s'impatiente, avec du trémolo dans la voix.

— Ben oui, là, tsé, vos cafés aromatisés? Avec des saveurs? Vanille, cerise, butterscotch... Je voudrais un noisette et mangue. Vous avez pas ça?

Le gars semble n'avoir pas pris de vacances depuis dix ans et il s'ennuie déjà du café Van Houtte de sa tour de bureaux. Ami lecteur, te voilà prévenu: le Québécois voyage, et il risque de te tomber sur les nerfs.

Ta ville sera bientôt envahie de touristes, même si t'habites Terrebonne ou Sherbrooke. C'est pas parce qu'à première vue il n'y a rien à faire par chez vous que tu vas t'en sauver. Et puis avec des slogans aussi accrocheurs que «T'es de Terrebonne-Humeur» ou «Sherbrooke, plus que jamais», c'est difficile de résister à l'envie d'aller faire un tour. On croirait que t'as donné des milliers de dollars à Clotaire Rapaille pour qu'il bâtisse l'image de ta ville.

Tu vis dans un village perdu au milieu de rien, sans route pavée ni slogan? Essaie pas de t'en sauver. Le touriste québécois va te trouver quand même. C'est un atout s'il y a un golf dans les environs ou si la spécialité locale est un fromage ayant gagné des prix, mais il suffit qu'il y ait une grange en octogone ou une vieille madame qui vend du fromage en crottes dans une cantine pour qu'on débarque. Même si ton microbrasseur local ne sert rien d'autre que des minuscules verres à dégustation où croupissent des bières chaudes et sans bulles qui ne se distinguent que par leur couleur, on sera là. T'as un plant de gadelles au fond de ta cour? Le temps d'enfiler nos bermudas beiges et nos bottes de marche et on arrive. Aucun belvédère ou pont couvert ou vendeur de blé d'Inde du bord de la route ne sera épargné, peu importe les nuées de mouches à chevreuil qu'il faudra affronter pour s'y rendre. Ta charmante petite plage secrète, on va la trouver. On va l'arpenter de long en large, y poser nos serviettes, nos chaises pliantes et nos glacières et on va se bourrer les poches de coquillages.

Si on ne trouve pas de coquillages, on va ramasser les plus belles roches, des bouts de bois et des algues séchées. Quand on veut des souvenirs, on trouve des souvenirs.

Vends-tu des fruits de mer? Si oui, tiens-toi bien. Le Québécois en vacances obsède sur les fruits de mer. L'été, il s'hydrate au beurre à l'ail fondu. Il n'hésite pas à rouler jusqu'en Gaspésie rien que pour manger des pinces de crabe sur une motte de riz blanc. C'est pas seize heures de voiture sur des routes pourries qui vont l'empêcher de dévorer une guédille au homard. Remplace « zombie » par « touriste » et « cerveau » par « lobster roll », ça va te donner une idée de notre détermination farouche. On a soif et on a faim.

Heureusement pour toi, on a seulement deux semaines de vacances.

FÂCHÉ NOIR
CONTRE LES PHRASES
TOUTES
FAITES
(TROISIÈME PARTIE)

J'ai beau avoir écrit deux chroniques sur les phrases et les expressions qui m'achalent, certaines personnes persistent et continuent à m'adresser la parole. Je les ai écoutées, j'ai souri, j'ai pris des notes.

« Achète un Mac ! »

Si t'as le malheur d'avoir un problème technique avec un appareil qui ne provient pas de chez Apple et que tu demandes un conseil, il y a toujours le iSmatte qui s'empresse de lancer cette réplique. C'est rude et ça ne répond pas à la question. On pourrait souhaiter au iSnob d'échapper son iPad dans son bain mais, s'il ne meurt pas électrocuté, ça ne lui donnera qu'un heureux prétexte pour acheter le nouveau modèle.

« T'es chanceux dans ta malchance. »

Des fois, on dirait que tu fais exprès pour me faire pogner les nerfs. Oui, c'est vrai, il peut toujours arriver pire. Je me suis cogné sur le pouce avec un marteau mais, évidemment, j'aurais pu donner un coup sur le mur et le défoncer, sectionner les fils électriques, mourir électrocuté, mettre le feu du même coup et brûler la moitié de la ville. Mais, dans l'immédiat, je viens de m'écraser un marteau sur le pouce. Est-ce que j'ai le droit d'être en maudit et de sacrer pendant quelques minutes sans qu'on me fasse la morale ?

« Je l'aime d'amour. »

Sinon, tu l'aimerais de quoi ? Dis-tu ça parce qu'il te semble qu'un simple « je l'aime » n'est plus assez puissant pour exprimer ce que tu ressens ? Dans ce cas, tu peux aussi dire : « Je l'aime amoureusement d'un amour amoureusement amoureux », ça a l'air tout aussi fou.

« Trop, c'est comme pas assez. »

Euh, non. Supposons que ton médecin de famille, après t'avoir inspecté de la gorge aux mollets, te donne un des diagnostics suivants : 1. « Vous êtes pratiquement trop en forme pour votre âge ! Bravo ! » ou 2. « Oh là là. Vous n'êtes pas assez en forme. Il va falloir cesser de boire, de fumer, de manger gras, sucré et salé. En fait, je crois que je vais tout simplement vous brocher l'estomac et vous coudre la bouche. » Pas pareil.

« Je suis arrivé sans crier gare. »

Tu m'inquiètes, là. Parce que ça me donne l'impression que tu arrives parfois quelque part en criant « gare ». Peux-tu m'expliquer dans quel contexte on crie ça, au juste ? Es-tu aussi du genre à faire des choses en criant «lapin» ou «ciseau»? T'es-tu déjà demandé pourquoi les gens te regardent drôle?

«Il n'y a pas de quoi fouetter un chat.»

Je comprends très bien que, dans la vie, la plupart du temps, il n'y ait pas de quoi fouetter un chat. Mais cette expression sous-entend quelque chose de terrible: il y aurait des situations où fouetter un chat serait justifiable, et peut-être même approprié. Mais dans quels cas, bon sang? Et tu t'y prends comment? Est-ce que le chat se laisse faire? T'as jamais eu peur qu'il se venge en venant se coucher sur ton visage pendant la nuit pour t'étouffer dans ton sommeil?

«Namasté!»

Bon, regarde donc l'autre qui baragouine le sanskrit. Du calme, chose. Tu viens seulement de t'inscrire à un cours de yoga qui se donne le mardi soir dans un local au-dessus d'une pharmacie. T'acheter des pantalons d'éduc' et un tapis rose en caoutchouc ne fait pas de toi un gourou indien.

FÂCHÉ NOIR CONTRE LES SPECTACLES GRATUITS

C'est l'été, il fait beau, c'est la saison des festivals et tous les spectacles extérieurs sont gratuits tout le temps. N'est-ce pas merveilleux?

Non.

Vraiment pas.

L'autre jour, j'ai été voir un groupe dans le cadre d'un festival quelconque, tu sais, le genre d'événement où mille artistes se produisent en même temps sur six scènes différentes. J'aurais pas dû. Je sais pourtant que j'ai un mauvais karma avec les spectacles. Je m'attendais au pire, et tout s'est déroulé comme prévu.

D'abord, à l'entrée du site, je me suis fait fouiller. Ils ne cherchent pas à savoir si tu dissimules une arme à feu ou de l'anthrax, non, ils veulent simplement s'assurer que t'as rien apporté à boire ou à manger. En fait, on m'a expliqué que, d'un point de vue technique, je pouvais entrer avec mon breuvage, mais pas avec son contenant. J'ai bien essayé de garder tout ce que je pouvais de ma Slush aux cerises dans mes mains, mais ça m'a vite dégouliné entre les doigts.

Je passerai vite sur le menu limité qu'on trouve sur le site :

Bouteille d'eau tiédasse en format dégustation : 10 $

Hot-dog et chips : 15 $

Hot-dog « européen » et chips : 27 $

Bien qu'il existe des plans de financement sur place, je te suggère tout de même d'en parler d'abord à ton comptable avant d'emmener ta famille dans un festival. Et si tu prends le risque d'apporter tes propres hot-dogs sur le site en les cachant dans tes vêtements, ne fais pas comme moi : laisse faire les condiments.

J'ai traversé diverses foules et ça m'a pris moins d'une heure pour trouver la scène que je cherchais et m'en approcher jusqu'à ce que ça coince. C'est là que je me suis arrêté. J'ai tenté d'apprécier le spectacle, malgré quelques petits désagréments. La seule personne affligée de troubles gastriques dans toute cette foule était juste devant moi. L'individu mesurait près de sept pieds et, peu importe ma vitesse de déplacement, il réussissait toujours à positionner sa grosse motte de cheveux frisés entre moi et la scène. En pétant. Dans mon entourage immédiat, j'ai aussi retrouvé quelques habitués : la fille qui danse tellement mal que ma fascination pour ses mouvements mous et sans rapport avec la musique me déconcentre à tout instant, le gros qui me pousse à intervalle régulier pour aller acheter de la bière et son ami qui échappe la sienne sur mes pieds. Ajoutez les deux gars qui ont déjà vu le groupe l'année d'avant et qui se racontent à quel point c'était bon.

De toute façon, plus personne n'est attentif à ce qui se passe sur scène. Autrefois, le spectacle d'un groupe branché était l'événement qu'il fallait avoir vu. C'est devenu l'événement où il faut être vu et, idéalement, pris en photo. Mais n'oubliez pas que les caméras sont interdites. Vous avez seulement le droit de photographier ou de filmer avec votre téléphone, votre lecteur MP3 ou votre gril à raclette. C'est d'ailleurs ce que tout le monde fait. On vient au spectacle, on filme le tout et hop, on retourne regarder ça tranquille à la maison les pieds au sec et sans odeur de pet.

Je me suis moi-même laissé prendre au jeu et j'ai rapporté un souvenir impérissable : un film de deux heures où l'on ne voit rien d'autre qu'une grosse motte de cheveux frisés.

Yé.

« La prochaine fois reste chez toi et laisse tranquilles les gens qui savent apprécier les belles choses de la vie. Espèce de rabat-joie pathétique ! Tu fais pitié à voir ! Critique le monde entier pendant que tu y es ! »

Anonyme

FÂCHÉ NOIR CONTRE LES STATISTIQUES

J'ai lu quelque part que «seulement» 3% des prêtres seraient pédophiles. En fait, d'un article à l'autre, le pourcentage varie.

Quand je lis des trucs pareils, mon imagination s'emballe. Je laisse le soin aux éditorialistes sérieux ou, mieux, aux journalistes de couvrir les nombreux scandales de prêtres pédophiles. Je n'ai rien à dire publiquement là-dessus. Moi, ce qui me titille dans cette info, c'est de savoir comment diable a-t-on pu trouver le pourcentage? En faisant un sondage téléphonique?

Êtes vous prêtre? Si oui, sélectionnez l'énoncé qui complète le mieux la phrase suivante: Je suis...

- [ ] un peu pédophile.
- [ ] assez pédophile merci.
- [ ] pas du tout pédophile, désolé.

Ou peut-être que ça se passe à la fin des assemblées du syndicat des prêtres? «O.K., les gars, avant de partir, faudrait juste remplir un petit sondage. Je vous passe les feuilles et les crayons, ça va prendre cinq minutes. Pis je veux revoir les crayons.»

Les statistiques ont le don de me dérouter chaque fois que j'en vois. C'est que les chiffres, contrairement aux mots, on peut leur faire dire n'importe quoi. Les stations de radio commerciales, par exemple, sont toujours LA station numéro un. Comment font-elles? Et puis qu'est-ce que ça veut dire, au juste, «la station numéro 1»? Qu'elle est la plus écoutée? Qu'elle est la plus aimée? Qu'elle est celle dont le slogan est le plus vague? Quelques explications entre parenthèses enlèveraient sans doute un peu de magie à l'affaire, mais au moins on saurait à quoi s'en tenir.

CRZP, la station la plus écoutée! (À Kamouraska, entre minuit et quatre heures du matin.)

CDKD, la station préférée au Québec! (Par les albinos bègues et insomniaques dont la couleur préférée est le bleu, âgés entre 43 et 47 ans.)

CAAA, la station numéro 1!!!! (Si on y va en ordre alphabétique.)

La façon la plus irritante de se servir des statistiques, c'est d'opposer deux choses qui, quand on y réfléchit bien, n'ont aucun rapport ensemble. Un exemple que j'ai trouvé quelque part dans un racoin des interwebs: «Les ours en peluche tuent plus de gens que les vrais ours.» Outre le fait que la donnée ne soit pas amusante du tout et qu'elle alimente maintenant mes cauchemars, elle ne nous aide en rien à corriger le problème. Pour tout dire, on ne sait pas trop s'il y a là un problème. Est-ce un indice qu'on devrait cesser de produire des ours en peluche bourrés d'amiante et de vieux clous rouillés? Devrait-on au moins mettre un avertissement sur chaque peluche? «Attention: il est vivement déconseillé d'insérer cet ourson au complet dans votre bouche, d'ensuite vous mettre un sac de plastique sur la tête puis d'aller vous baigner moins d'une demi-heure après le repas.» On ne le sait pas. On ne nous dit rien.

Pour ma part, je ne prends plus aucun risque. La prochaine fois que j'aurai à faire un cadeau à un enfant, je lui offre un vrai ours.

FÂCHÉ NOIR CONTRE
VIVRE
DANGEREUSEMENT

Mieux vaut vivre un jour comme un lion que cent ans comme un mouton.

Proverbe idiot

Il arrive un moment dans la vie où on se dit qu'au fond, si on est encore vivant en se réveillant ce matin-là, c'est grâce à une succession de hasards, de coups de chance et de catastrophes évitées. C'est alors que, pour espérer avoir encore assez de souffle pour éteindre cent bougies sur notre futur gâteau d'anniversaire, on tente de prévoir le pire pour mieux garder le contrôle sur les choses. On modère les risques. Pour ma part, je suis du genre «chat d'intérieur». Je suis sage au point que les avertissements au début des films sur DVD ont frappé mon imaginaire et je souhaite à tout prix éviter les cinq ans de prison ou l'amende de 500 000 $ parce que j'aurais acheté une copie piratée. Je

conserve même le timbre de la régie du cinéma quand j'achète un film, au cas où une
escouade spéciale du FBI section « enquête
sur les DVD piratés » débarquerait chez moi en
pleine nuit en défonçant les portes pour me
demander si tous mes films ont été achetés
légalement.

Il y a quelques centaines d'années à peine,
vivre était, par définition, très dangereux.
Pillages, invasions, révolutions, chaque journée amenait sa promesse de mort violente.
En 1901, au Québec, l'espérance de vie d'une
femme était de 50 ans et celle d'un homme,
47 ans. C'est Wikipédia qui le dit : de 1900 à
2000, l'espérance de vie en France est passée
de 48 à 79 ans. C'est plutôt phénoménal,
quand on y pense, et ça explique pourquoi
nous sommes sans doute moins héroïques
que nos ancêtres : se jeter dans une bataille
avec une épée rouillée ou un gourdin, quand de
toute façon tu risques de mourir du scorbut
ou de la lèpre quelques mois plus tard, ça
donne l'impression que t'as pas grand-chose
à perdre. Aussi bien mourir en héros, tran-
ché en deux d'un solide coup d'épée. Mais, en
2010, aller se battre en Irak à vingt ans
contre on ne sait pas trop qui pour on ne
sait pas trop quoi, c'est prendre le risque de
sauter sur une mine alors qu'on a peut-être
encore une bonne soixantaine d'années devant soi. C'est moins tentant.

Mais les statistiques le prouvent, la plupart
des adultes nord-américains ne se blessent
pas dans une guerre ni même dans la pratique d'un sport extrême, mais plutôt le jour
où ils lâchent un peu trop leur fou dans une
épluchette de blé d'Inde. Une petite danse
impromptue sur une table fragile, une ten-
tative de salto arrière du trampoline jusque
dans la piscine hors terre et hop : cric crac,

jambe cassée, fête gâchée, hôpital, honte, pèlerinage à Compostelle remis à l'année suivante et rhumatisme dans le genou jusqu'à la fin des temps.

Maintenant tu le sais: c'est uniquement parce que j'évite de vivre dangereusement que je refuse les invitations à tes épluchettes de blé d'Inde.

FÂCHÉ NOIR CONTRE LE TÉLÉPHONE INTELLIGENT

Une vidéo sur YouTube, vue des millions de fois, filmée par une caméra de surveillance : on y voit une dame marcher dans un centre commercial, et toute son attention est portée sur son téléphone cellulaire. Elle envoie un texto et avance d'un bon pas, sans regarder où elle va. Devant elle, une fontaine. Elle approche. Ne lève pas les yeux. Suspense. Elle finit par tomber dans l'eau, la tête la première, et en ressort honteuse et trempée. Bien que mes parents m'aient appris à ne pas me réjouir du malheur des autres, visionner ce clip me procure à chaque fois une immense satisfaction. Dans la vie, tu marches ou t'écris. Tu fais pas les deux en même temps. Texter et rouler, c'est pire. Oui, grand trentenaire épais de la rue Marquette qui n'a pas l'air de vouloir vivre vieux, c'est à toi que je m'adresse : texter à vélo sur une rue étroite à sens unique en roulant dans le mauvais sens, la langue sortie et les cheveux au vent, C'EST MAL.

Le téléphone intelligent est tout de même un outil merveilleux. Fut un temps où, pour éviter de perdre une bonne idée, j'avais des calepins de note dans toutes les pièces de l'appartement et dans tous mes manteaux. Je ne perdais pas mes idées, certes, mais je les retrouvais trois saisons plus tard, sans me souvenir du contexte ni de la signification. Je cherche encore qu'est-ce que « modifié/ego ---> repérage/transformé » peut bien vouloir dire.

Maintenant, je prends mes notes dans mon téléphone et en arrivant chez moi, hop, ça se transfère sur mon ordinateur comme par magie. Ça me fait gagner du temps, alors j'en profite pour me bricoler des sonneries à partir de mes chansons préférées, je cherche la parfaite alerte de texto, juste assez énergique mais pas trop dérangeante, ou encore je m'applique à détruire l'habitat naturel de méchants petits cochons coiffés de couronnes.

« Oui mais là, hé, ho, attends minute, t'es pas censé être fâché noir contre les téléphones intelligents, toi ? » t'entends-je hurler en cassant de menus objets. Il faut donc que je précise : je n'ai rien contre mon appareil. C'est contre le tien que j'en ai.

Un peu comme écrire dans un agenda t'évite d'avoir à retenir des dates, on dirait que de se servir d'un téléphone intelligent t'évite de te servir de ton intelligence. Je déteste l'habitude que tu as d'arrêter au bout d'un escalier roulant bondé pour vérifier tes courriels pendant qu'on s'empile derrière toi. Je déteste quand, dans les toilettes publiques, tu te géolocalises sur Facebook en urinant pendant que je patiente avec une envie pressante. Je déteste quand un ami ne peut s'empêcher de regarder son afficheur pour voir qui l'appelle au moment où je lui révèle que je dois 100 000 $ à la pègre, que j'ai envie de devenir une femme ou que j'ai ri à une blague de Laurent Paquin. Je déteste quand on me prend en photo au moment où je m'y attends le moins et que j'ai un air idiot, la bouche grande ouverte et les bras en l'air. La fonction « donner à cette photo l'apparence d'un vieux Polaroid pourri » n'y change rien.

Je t'aime, mais seulement quand ton téléphone est hors de ma vue. Te voilà prévenu : le jour où je serai capable de faire apparaître des fontaines, tu vas être sérieusement dans le trouble.

FÂCHÉ NOIR CONTRE LES ÉCRIVAINS FRANÇAIS

Il y a quelques années, une fille est venue me voir à la fin d'un atelier littéraire que j'animais dans un cégep. Elle m'a fait ce commentaire : « Je suis surprise, j'ai toujours cru qu'un écrivain c'était un vieux dépressif magané avec un air bête, portant un veston brun qui pue la cigarette. » Je lui avais répondu que, de toute évidence, elle confondait les auteurs québécois et les auteurs français.

Et la fille avait un peu raison. Les écrivains français, on les reconnaît rien qu'à l'air bête qu'ils font sur les photos. Écrire semble être un lourd fardeau, une peine de tous les instants, ah là là, quelle torture de devoir faire son propre horaire, de se lever à l'heure qui lui plaît, de se faire inviter à dîner par son éditeur et de picoler dans les cinq à sept en attendant l'inspiration. Tout cela est d'une souffrance telle qu'il est facile de comprendre qu'au moment où le grand écrivain français prend la pose pour la photo de son nouveau livre, on croirait qu'un ulcère vient tout juste de lui éclater dans l'estomac. (Notez que j'emploie « écrivain » au masculin pour alléger le texte. Les écrivaines ont elles aussi le caquet bas.)

Mais il ne faudrait pas croire que « je souffre » est la seule expression faciale dont ils sont capables. Ils en ont une deuxième, « je boude », et l'utilisent chaque fois qu'ils apprennent qu'ils ne sont pas en lice pour un prix littéraire, ou qu'ils l'étaient mais ne l'ont pas gagné. Bon. Avec plus de six cents romans qui sortent en France chaque automne, on les comprend de bouder un peu. Gagner un prix ou sourire sont les seules façons de se démarquer dans la cohue, et on sait que la deuxième option est hors de leur portée.

Les couvertures de leurs livres sont drabes, beiges ou blanches, sans illustrations, et les synopsis qu'on trouve à l'arrière ne viennent pas mettre du soleil dans tout ça. Au programme : de la tragédie, du drame, de la mort, des mourants, des choses mortes, des amours mortes, du trépas. Introspection, apitoiement, narcissisme et pleurnichage. Le résumé typique du roman d'un écrivain français : « Un écrivain parisien, confiné à son lit d'hôpital après une grave maladie, quitte sa femme et se remémore son premier amour qu'il n'a jamais pu oublier. Professeur de littérature, ses aventures avec de jeunes étudiantes le ramèneront lentement à la vie. » Et celui de l'écrivaine française : « Dans cette déconstruction du Nouveau Roman, la narratrice – un faux/vrai double de l'auteure –, raconte sa lente descente vers la folie après la mort de son fils en bas âge. Deuil, mutilation, dégoût de l'humanité en général et de l'homme en particulier, l'auteure signe un roman d'une puissance rare. Événement. » Si tu cherches de la verve, de l'humour et de la finesse, tu la trouveras surtout dans les articles des critiques littéraires qui se font un devoir et une joie de démolir tous ces livres.

Ami lecteur, fais-moi confiance : pour la rentrée, lance-toi dans l'achat compulsif de romans québécois. Tu ne seras pas déçu. D'année en année, la qualité et la diversité de la production ne cessent d'augmenter. Ne te laisse surtout pas décourager par les visages souriants de leurs auteurs.

FÂCHÉ NOIR CONTRE L'ÉPICERIE

C'est fou comme une simple barquette de tomates cerises peut te gâcher une journée. Elle gisait là, tristement abandonnée dans l'allée des conserves, pas du tout à sa place, et impossible de savoir ce qui s'était passé.

Il faut dire que quand la plupart des gens ignorent si t'es un légume ou un fruit, les chances qu'on te rejette sont assez élevées. Tu l'as un peu cherché, tomate.

À l'épicerie, je supporte très bien les gens qui bloquent l'entrée avec leurs gros sacs remplis de canettes puantes qu'ils viennent vider dans la machine qui les recycle, les paniers avec une roue croche, les présentoirs en carton qui bloquent les allées, les paniers qui bloquent les allées, les gens qui bloquent les allées, les gens qui regardent sans en avoir l'air le contenu de mon panier tout en bloquant l'allée, la musique insipide, les produits périmés que j'achète sans me méfier, le lait dans les contenants en carton avec le fond qui coule, les jus de fruits qui ne contiennent pas de fruits, le bœuf contaminé, mais les aliments abandonnés, ça me pourrit l'existence.

J'avais besoin d'une boîte de maïs qui se trouvait juste derrière. J'ai donc pris la barquette dans mes mains pour ramasser le maïs et hop, au moment où je reposais les tomates sur la tablette, une dame m'a vu faire et m'a dévisagé. C'était maintenant moi qui donnais l'impression d'abandonner lâchement mes tomates au milieu de nulle part. Accusé d'un crime que je n'avais pas commis.

Mais il y a des choses bien plus terribles que cette culpabilité que m'occasionnent les aliments-abandonnés-même-pas-par-moi. J'ai longtemps gardé ça secret mais je t'en parle parce que j'ai entièrement confiance en toi : je crois que Satan existe. Je crois qu'il a envoyé des démons sur Terre dans le but de voler nos âmes. Et je crois que les démons ont reçu l'ordre de voler en priorité l'âme des caissières d'épicerie.

Je sais que c'est plutôt difficile à croire, mais j'ai tout vu. J'ai passé des heures à les observer, caché derrière des cageots de clémentines pourrissantes. Tout se passe très vite. La caissière nouvellement embauchée sourit, sifflote, jase avec les clients pendant sa première semaine de travail et puis hop, sans qu'on sache pourquoi, après quelques jours son âme semble aspirée hors de son corps et n'y revient jamais. Cette journée-là, ma caissière n'avait aucune conversation, pas d'expression faciale et aucun entrain. J'aurais été prêt à ce qu'elle me facture chaque kiwi le prix d'un melon pour avoir droit à un sourire ou un bonjour, ça aurait été peu cher payé pour un peu de chaleur humaine, mais non. La seule phrase presque complète que Satan l'autorise à dire aux clients c'est « besoin de sacs ? ».

J'avais déjà le mien. Elle a tenté de s'en emparer. C'était de toute évidence une ruse pour me toucher et ainsi voler mon âme. Satan ne m'aura pas aussi facilement. Quand est venu le temps de payer, j'ai lancé une poignée de billets sur le comptoir et je me suis enfui en hurlant avec, sous le bras, la barquette de tomates cerises abandonnée que j'avais décidé de recueillir chez moi.

« Pauvre petite personne ! Si tu
n'avais pas assez de colonne pour
laisser les tomates à l'épicerie,
tu mérites ton malheur. Tant pis
pour toi. »

Anonyme

FÂCHÉ NOIR

HOMMAGE À L'AUTOMNE

Il pleut. Hier, il a plu. Demain, il pleuvra. Les gens s'entassent sous les abribus ou sautillent entre les flaques, agrippés à leur thermos de café, la tête enfoncée dans les épaules. Ils se rendent au travail, déprimés, l'œil chassieux et glauque, les plis de l'oreiller encore visibles sur les joues même s'ils ne sont pas reposés, victimes d'insomnies saisonnières, profitant de ces heures sans sommeil pour maudire l'automne. L'autobus arrive et s'arrête après avoir arrosé d'eau brune tous ceux qui l'attendaient. Ils montent à bord et s'en vont dans la brume de ce matin sans lumière, entassés comme dans un wagon à bestiaux, baignant dans leurs odeurs de chien mouillé et d'haleine de café.

L'automne, c'est ma saison préférée.

Pour certains, rien n'y fait. Revenir du marché avec une belle citrouille bien joufflue et l'éventrer à coup de couteau en hurlant de rage sitôt arrivés à la maison ne leur procure aucun soulagement. Boire un latté à la citrouille épicée dans un café où Diana Krall joue en boucle depuis des heures ne réussit pas à les décrisper. C'est un peu normal ; comment quelqu'un peut-il croire que la citrouille lui fera apprécier l'automne? La citrouille, c'est dégoûtant. Le café à la citrouille est une abomination. La citrouille, on la mange en tarte une fois par année, et les autres jours on ne s'en ennuie pas du tout. On n'en fait ni des bonbons, ni des yaourts. J'ai l'impression qu'on la mange seulement pour lui faire plaisir, pour qu'elle puisse se sentir utile.

« Heille, le malade! Vas-tu finir par le dire pourquoi t'aimes c'te maudite saison-là, que je puisse m'accrocher à quelque chose pour me remonter le moral? » serais-tu porté à me crier au visage en postillonnant tout en serrant très fort ma chemise dans tes deux poings crispés. Tu cherches du réconfort dans mes douces paroles et ça me touche, mais je ne suis pas certain que tu aies envie de savoir la raison. Je mentionnerai d'abord deux petites choses : la rentrée culturelle me fait du bien, après un été de films de superhéros américains en spandex et de « tubes de l'été » interprétés par des chanteurs qui accompagnent leurs mélodies mièvres de chorégraphies dégradantes pour le genre humain. Dans la catégorie « petits plaisirs malsains », j'adore voir les adultes gloutons saliver à l'épicerie devant les montagnes de boîtes de minitablettes de chocolat d'Halloween et tenter de résister à l'envie d'en remplir leurs paniers. Mais ma vraie raison d'aimer l'automne est tout autre.

« Ben parle! Attends pas que je casse quelque chose! »

Bon, d'accord. Tu l'auras voulu : c'est ta face de beu qui me rend de belle humeur. Tout au long de l'année, je me balade avec mon air neutre, ni souriant ni fâché, et on me demande qu'est-ce que j'ai qui ne va pas. Tout va! C'est seulement que je ne suis pas du genre à sourire pour rien ou à chantonner en jouant à la marelle dès que je sors de chez moi. Je suis de bonne humeur, mais pas démonstratif. Et voilà qu'arrive le miracle de l'automne : à comparer aux visages blêmes et consternés autour de moi, simplement par contraste, j'ai l'air rayonnant. Telle ma pastille de goût préférée à la SAQ, j'ai soudainement l'air vif et fruité plutôt que lourd et amer.

Allez, face de beu, réjouis-toi : l'hiver approche.

FÂCHÉ NOIR CONTRE TES CONSEILS

Pour peu qu'on prenne le temps d'y réfléchir, beaucoup de problèmes en apparence complexes appellent une réponse toute simple, dictée par le gros bon sens. J'essaie : tu veux savoir le seul vrai bon truc pour avoir une peau d'apparence jeune ? Être jeune. Si t'es vieux, arrête de capoter et passe à autre chose. Il est trop tard. Tu veux savoir le seul vrai bon truc pour avoir un visage resplendissant ? Souris. Tu veux avoir le seul vrai bon truc pour maigrir ? Cesse de bouffer des cochonneries, mange moins et fais plus d'exercices.

Mine de rien, on pourrait faire économiser à nos amis des centaines de dollars en crèmes qui ne servent à rien, en livres à propos de régimes miracles et en thérapies. Mais, voilà, le problème c'est que nos amis ne nous écoutent pas.

On a tous vécu ce genre de situation : tu connais une fille qui est dans une relation destructrice et, avant qu'il ne soit trop tard et que son copain la marie et l'emmène vivre à McMasterville pour lui faire un tas de bébés joufflus, tu te risques à intervenir en lui avouant ce que tu penses de son moron : « Quitte-le ! C'est un manipulateur, il est méchant et méprisant avec toi, il achète son vin au dépanneur et il fait beaucoup trop cuire ses pâtes. » Tes commentaires ne reçoivent qu'un haussement d'épaules. En discutant avec son entourage, tu te rends compte que tu es la soixantième personne à lui donner le même conseil. Alors tu tentes de la comprendre. Après tout, les ruptures, c'est comme la moussaka : il faut être prêt mentalement avant de s'y mettre, parce que c'est plus compliqué que ça en a l'air et, au final, il nous manque toujours l'ingrédient crucial pour que ça ait bon goût.

Et puis elle t'arrive avec la nouvelle : « J'ai quitté Louis-Christophe. Mon psy m'a dit que c'était un manipulateur méchant et méprisant qui devait être le genre à acheter son vin au dépanneur et à trop faire cuire les pâtes. Je crois qu'il a raison. »

Tu es content parce que tu n'auras plus à faire avec ce Louis-Christophe aux pâtes trop cuites mais, n'empêche, tu réalises que, malgré les années d'amitié qui vous lient, et même si cette fille a été la première à jouer avec toi à « je te montre la mienne si tu me montres la tienne », ton avis ne sera jamais aussi judicieux que celui d'un professionnel. C'est triste à dire, mais ton mur de tablettes consacrées à ta collection de figurines de *La Guerre des Étoiles* n'est pas de taille à affronter le mur de diplômes d'un psy. (Et ce, même si tu possèdes le modèle très rare du Jawa avec sa cape de plastique.)

Évidemment, puisque je passe de longues journées à réfléchir pour t'éviter d'avoir à le faire, j'ai trouvé une solution.

Précède toujours tes conseils de cette introduction, un peu longuette, peut-être, mais qui saura mettre ton interlocuteur en confiance et donnera du poids à tes propos: «J'ai parlé de ton problème à Bradley Ferguson, un éminent psychologue de l'Université de Cambridge qui combine à la fois les plus récents développements en psychologie et la sagesse millénaire de la philosophie indienne dans l'exercice de son métier, et il te conseille de (ici, insérez un conseil au choix. «Cesser de te plaindre pour rien», « Te laver plus souvent», «Coucher avec moi», peu importe).

C'est le meilleur conseil que j'ai à te donner. Mais je ne suis pas psy, alors ça vaut ce que ça vaut.

FÂCHÉ NOIR CONTRE « À QUOI TU PENSES ? »

Femme, c'est à toi que je m'adresse. Tu es en couple et une question t'obsède. Chaque fois que ton chum tombe dans la lune, contemple l'horizon ou se tait depuis plus de deux minutes, tu t'inquiètes et tu lui poses la fameuse question. « Mais à quoi tu penses, mon chéri ? » Et je sais que sa réponse ne te satisfait jamais.

Il faut dire que ton chéri répond habituellement « je pense à toi » s'il est téteux ou « à rien » s'il souhaite changer de sujet. Mais, non. Un chéri, ça ne pense jamais à rien. Essaie, voir, tu te rendras vite compte que c'est impossible. Même quand Silvio, ton professeur de yoga, t'invite à faire le vide dans ton esprit, tu es incapable d'arrêter de penser à ses fesses dures comme la pierre quand il fait la chandelle ou à ses mains chaudes et fermes quand il corrige ta posture qui, faut-il l'avouer, était parfaitement correcte.

« Mais mais mais, il pense à quoi, alors, mon chéri ? » diras-tu avec un léger tremblement dans la voix.

Un mythe persiste à l'idée que chéri aurait des pensées sexuelles à toutes les dix secondes. La science a prouvé depuis longtemps que c'est faux. Mais oui, bien sûr, il lui arrive à l'occasion de penser au sexe. Parfois tu as le rôle principal, parfois non. Il est fidèle dans la vie alors on ne va pas lui reprocher un petit écart imaginaire, que ce soit avec Mila Kunis, Mila Kunis et Monica Bellucci ou Mila Kunis, Monica Bellucci et toutes tes amies du cours de yoga en même temps. Rassure-toi : ce n'est pas parce qu'il s'imagine prendre la caissière du dépanneur en levrette qu'il a l'intention de l'ajouter à sa liste de choses à faire avant de mourir. Ce n'est qu'un réflexe masculin, rien de plus. Dans quelques secondes, il aura déjà la tête ailleurs. Tu vois, il regarde maintenant du côté du présentoir de « beef jerky » et se demande ce qui pousse des êtres humains à manger de la nourriture pour chiens.

Parfois, il pense à ta date d'anniversaire. Il sait que tu peux lui faire passer un petit test impromptu à tout moment alors il ne veut pas se tromper. Si ta fête approche, il tente de se souvenir de ce qu'il a bien pu t'offrir la dernière fois, pour éviter d'acheter la même chose cette année.

En général, la pensée de ton chéri est un enchevêtrement complexe d'association d'idées disparates, d'images étranges et de musique insupportable mais accrocheuse. *J'ai envie d'un verre de Ricard. Ricardo. Do Ré Mi. Rémi Girard. Gérard Depardieu. Dieu est partout. Par Toutatis. Astérix et Obélix. Potion magique. Chaudron. Soupe. La soupe aux choux. La soupe aux schtroumpfs. Des schtroumpfs qui dansent au son de* Frosty the snowman. *Noël. Hiver. Neige. Sentier de neige. La neige en poème fondait sous nos pas. Les Classels. Caissiers. Classeurs. Caissons. Klaxons. Les Klingons. SoHvaD pagh vljatlh, human!*

Oui, ton chéri baragouine parfois dans sa tête en langage klingon. Quand il te dit qu'il ne pense à rien, c'est d'abord et avant tout pour éviter de passer pour un dingue.

FÂCHÉ NOIR CONTRE LA CROISSANCE PERSONNELLE

La croissance personnelle, on ne le penserait pas à première vue, mais c'est plutôt compliqué. On fait ça chacun dans notre coin, croître, un peu tout croche, au hasard des rencontres, des aventures et des blessures, et puis un jour on se retrouve devant un étalage de livres de croissance personnelle dans une librairie. On se croyait heureux mais on constate que ça ne va pas bien du tout. De toute évidence, si on se fie aux titres des ouvrages :

1. On ne vit pas à notre plein potentiel.

2. On veut une vie plus satisfaisante.

3. Les anges sont parmi nous.

On pourrait se contenter d'acheter quelques livres qui répondraient à nos interrogations nouvelles, mais ça ne sera pas suffisant. On est programmés, voyez-vous, à mener une vie de merde. Et puis comment peut-on retenir par cœur tous les secrets, les clés, les commandements, les règles, les objectifs et les formules magiques qui font rayonner notre ange intérieur ? On a besoin d'aide. Heureusement, ces auteurs proposent aussi des conférences et des stages en pleine nature presque tous les week-ends. Ça pourrait sembler coûteux mais, quand il est question de se faire ramancher l'âme, ce n'est pas le moment d'être gratteux.

On s'inscrit, donc. C'est là que ça devient bizarre.

D'abord, la personne qui a écrit le livre ne s'appelle plus Solange Fortin ou Robert Bibeau. Sur la brochure explicative, on apprend qu'elle s'appelle maintenant Yasrah, Rhamdahm, Whatatataw ou Shawarma. (C'est son ange personnel qui lui a murmuré son nouveau nom, alors il n'y a pas de quoi rire.) Vous apprenez aussi que cette personne ne veut plus qu'on l'appelle « monsieur » ou « madame », mais bien « Gourou », en n'oubliant pas la majuscule. Bah. Si cette personne est capable de réaligner vos chakras avec votre Moi cosmogonique pour quelques centaines de dollars, elle mérite de se faire appeler comme elle le voudra.

Gourou Rhamdahm vous convie à sa conférence intitulée « Décristallisation de l'empreinte de la naissance et libération du karma en créant un statut zéro par une approche renouvelée de la manifestation intentionnelle du repentir de la méthode Ho'oponopono ».

L'essentiel de la conférence consiste à tenter d'en expliquer le titre.

Ça reste peu intéressant, alors on file en douce et on s'inscrit plutôt dans les ateliers. Hypnothérapie, speed-détente, échangélisme, yogargarisme, toutes les ressources sont mises à contribution pour requinquer les âmes déglinguées.

Mais, comme dans toute bonne chose, il finit par y avoir de l'abus.

Tu commences en bouquinant à la recherche d'un livre pour te pomponner l'aura et quelques jours plus tard tu te retrouves à la campagne au coin d'un feu avec Gourou Rhamdahm qui te coupe un bras pour le manger avec ses disciples au nom de ton épanouissement personnel.

Bon, j'exagère peut-être un peu.

N'empêche, la croissance personnelle, j'ai toujours trouvé ça louche. Kaya, je l'aimais davantage lorsqu'il s'appelait Francis Martin et qu'il chantait *Rock it* sur une balançoire avec sa chemise bouffante déboutonnée. Les petits regards cochons qu'il lançait à la caméra m'inquiétaient beaucoup moins que ses envies de m'apprendre à « développer mon autonomie spirituelle par l'angéologie traditionnelle ». Alors tant pis pour ma croissance.

De toute façon, ma mère m'a toujours dit de me méfier des gens qui veulent me tripoter le chakra.

FÂCHÉ

NOIR CONTRE LA RICHARDMARTINISATION DE LA VIE

Il y a des gens qu'il suffit de nommer pour relancer une conversation qui stagne ou déclencher des réactions épidermiques : Doc Mailloux, Stephen Harper, Séraphin...

Bon, OK, peut-être pas Séraphin.

Mon préféré, c'est Richard Martineau. Impossible de le nommer sans que quelqu'un se lève, serre les poings et les agite en criant « Richard Martineau, il m'énaaaaaarve ! »

Avoue que tu viens de le faire. Mais pourquoi, donc ? Qu'est-ce qu'il t'a fait le monsieur pour que tu te mettes dans un tel état ? Il t'a coupé dans la file au dépanneur ? Il a mordu tes enfants ? Il a tiré la chasse d'eau des toilettes pendant que t'étais sous la douche ? Moi, Richard Martineau, il ne m'énerve pas. Et je n'ai rien d'un moine bouddhiste. La situation n'exige même pas de longues heures de méditation pour arriver à cultiver une bien-veillance universelle face au monde. Mon truc est vraiment tout simple : Richard Martineau, je ne le lis pas. Tant qu'il ne vient pas sonner chez moi à huit heures le samedi matin pour me fourguer des copies du *Réveillez-vous*, il peut bien dire et faire tout ce qu'il veut. Je ne suis pas au courant.

J'ai mon opinion sur la vie et les choses. Il a la sienne. Nos opinions divergent probable-ment, et puis quoi ? Ce n'est pas un élu qui vote des lois, il n'a le droit de vie ou de mort sur personne, c'est un pigiste qui fait des chroniques d'opinions. Ce n'est pas Dieu. Quand on a l'impression que quelqu'un est partout, c'est parce qu'on regarde trop sou-vent dans sa direction. Et c'est ce que je trouve fascinant : les gens ne sont plus pour ou contre l'avortement ou la peine de mort ou Stéphane Gendron. Ils sont pour ou contre l'opinion de Richard Martineau sur l'avor-tement, l'opinion de Richard Martineau sur la peine de mort ou l'opinion de Richard Martineau sur Stéphane Gendron. Les gens de droite relaient toutes ses chroniques, ravis de voir que quelqu'un ayant la même opinion qu'eux s'exprime publiquement. Ça les conforte dans leur jugement. Les gens de gauche relaient toutes ses chroniques, ravis de voir que leur réseau social s'affaire aussi-tôt à le tailler en pièces. Ça les conforte dans leur jugement. Au bout du compte, tout le monde lui donne de la visibilité. La gauche, la droite, les indécis et les mélangés.

Un chroniqueur a besoin de lecteurs, qu'ils soient contents ou fâchés. Mais quand tu richardmartinises ta vie alors que le gars t'horripile, je te trouve bizarre. Tu lis tout ce qu'il écrit pour mieux le détester ? Tu te fais du mal, ami lecteur. Et moi qui, comme tu le

sais, ne souhaite que ton bonheur, je te dirai
ceci : si t'es tanné que le feu brûle, cesse de
souffler sur les braises.

« Hein ? C'est donc ben niaiseux, ce que tu
dis là ? Tu te prends pour qui, avec tes petites phrases pseudo philosophiques à deux
cennes ? Tu sais quoi ? Je pense que plutôt
que de détester Richard Martineau, je vais
commencer à te détester, toi ! »

Ne te gêne surtout pas. Pourvu que tu relaies
mes chroniques.

« Rien que des chroniques sans contenu, remplies de chialage et qui ne proposent aucune solution. Vous êtes d'une incompétence crasse ! ! ! »

Anonyme

FÂCHÉ NOIR
CONTRE LE VIN

Quand je bois un verre de vin rouge, j'ai l'habitude de me livrer à un petit exercice tout simple : j'essaie d'y reconnaître au moins une odeur et une saveur. Je le fais tourner dans ma coupe afin qu'il libère tous ses arômes et puis je le hume, à la recherche de son odeur caractéristique. Le cuir ? La cerise noire ? Le petit fruit rouge confituré ? Ici, je me risque avec « réglisse ». Je hume à nouveau et je confirme, oui, c'est bien de la réglisse. Sur la bouteille, je lis « puissants arômes d'épices et de café ». Ah, ben oui. Une fois qu'on le sait, on ne sent plus que ça. Pour les vins blancs, c'est la même chose. Je goûte pamplemousse et la bouteille me dit pomme verte. Je goûte pomme verte et elle me dit abricot. Mon nez et ma langue auraient besoin d'un chien-guide.

Mais attention, hein. Je suis peut-être un illettré, viticolement parlant, mais je n'ai pas envie que ça paraisse. J'ignore la différence entre corsé, soutenu et charnu, je confonds boisé et bouchonné, mais je sais faire semblant. Comme tout le monde, je veux avoir l'air d'un connaisseur et, comme tout connaisseur, j'essaie d'avoir l'air snob.

D'abord, je sais parler. Je dis : « Mmm ! Belle texture grasse aux tannins persistants » quand le vin me tombe sur le cœur. Je dis : « Mmm ! Ce vin minéral à l'acidité surprenante culmine dans une belle finale » quand il goûte la garnotte et le pipi de chat et me donne envie de vomir.

Pour avoir l'air snob, il est aussi de bon ton de mépriser une région en particulier. Moi, c'est la France. Pas que leurs vins soient plus mauvais qu'ailleurs. C'est seulement que toutes leurs bouteilles se ressemblent et que j'ai toujours l'air idiot quand je demande de l'aide à un commis à la SAQ.

— Bonjour, je cherche un vin français. Euh. Je me souviens pas de son nom ni de la région d'où il vient mais l'étiquette est blanche, avec de l'écriture dorée et un dessin de château. T'sais ? Ça s'appelle le Château Quelque Chose. Ou Castel Machin. Ou Manoir Truc, peut-être. Je me souviens plus très bien. Euh. Hum.

Je préfère donc me taire, arpenter les allées d'un air suffisant et ramasser les vins qui ont des noms qui se retiennent, comme le « Big House Red », le « Cupcake » ou le « Arrogant Frog ». Je me fais aussi un devoir d'affirmer que c'est en voyage que j'ai bu les meilleurs vins. Ils étaient peut-être ordinaires mais ne sont pas disponibles au Québec, alors personne ne va mettre ma parole en doute. Avoir visité un vignoble en Europe renforce aussi ma crédibilité. « Mmm. Je me souviens encore de ce vin incroyable dégusté dans la merveilleuse région du Chianti, au cœur de la Toscane, un pur délice. Je suis ému rien que d'y penser. »

Je suis un imposteur mais, ce qui me sauve, c'est que la plupart des gens autour de moi le sont aussi. Il y a donc une espèce d'omerta, tout le monde parle à travers son chapeau et fait semblant de rien. J'aurais beau servir un vin qui goûte le mouton mort macéré dans le vinaigre de riz, mes convives ne pourront qu'admirer mon choix audacieux et faire de fréquents passages aux toilettes pour aller le recracher.

Tchin !

FÂCHÉ NOIR CONTRE L'HALLOWEEN

On tente de nous faire croire que l'Halloween est une fête pour les enfants, mais ce n'est pas vrai du tout.

Prenez la décoration des citrouilles. Il faut d'abord ramener cette cucurbitacée géante qui pèse au moins cinq kilos à la maison, l'ouvrir avec un grand couteau pointu, la vider, la sculpter et y mettre une bougie allumée. Vous laisseriez votre progéniture jouer avec des couteaux et des bougies, vous ? Souhaitez-vous que votre enfant devienne pyromane ? Tueur en série ? Chef cuisinier plein de ta-touages spécialisé dans les desserts à la citrouille ? Évidemment, non.

Les déguisements, ce n'est pas pour les enfants non plus. J'ai visité récemment une boutique spécialisée et je n'y ai trouvé que des masques peu sécuritaires, des épées étrangement inefficaces et des accoutrements de prosti-tuées – policière cochonne, écolière salope, vieille sorcière nymphomane – ne compor-tant aucune bande réfléchissante sécuritaire quand vient le temps de traverser les rues en zigzaguant entre les voitures. Et puis à quoi bon habiller votre enfant en Gandalf libertin s'il lui faut enfiler son manteau d'hiver par-dessus son déguisement pour sor-tir affronter la pluie et le froid du 31 octobre ?

Car, oui, je ne vous apprends rien (comme d'habitude), le but ultime de cette fête, pour un enfant, est d'apprendre à mendier et de revenir à la maison avec un sac rempli de bonbons. Mais pourquoi ? Le sucre cause des caries et de l'embonpoint et puis de toute façon vos enfants n'auront plus que des bonbons ennuyants comme les klendaks qui collent au palais ou les pommes avec des lames de rasoir une fois que vous, parents responsables, les aurez dépouillés des Rockets, tablettes de chocolat et autres dangereuses friandises pour les dévorer en cachette quand les jeunots seront à l'école. Le soir du 31, soyez responsables et confiez plutôt vos enfants à une jeune gardienne qui écoutera avec eux un festival de films d'horreur sans pause publicitaire à la télé.

Parce que l'Halloween, c'est surtout une occasion de plus pour les adultes de se paqueter. Mais les adultes n'aiment pas les choses simples. Les «soirées costumées» où chacun pouvait débarquer accoutré comme bon lui semble sont terminées. Maintenant, les gens qui vous invitent y vont de soirées à thèmes plus compliquées les unes que les autres. Soirée «Harry Potter», soirée «armée Romaine, mais seulement sous le règne de Jules César», ou encore soirée «personnages féminins des jeux d'arcade de la console de jeu Colecovision sortis entre décembre 1982 et juillet 1984», chacun rivalise d'imagination pour nous détruire le moral. Le papier d'aluminium et les cure-pipes pour se fabriquer un habit de robot ne suffisent plus, et les moindres festivités vous demanderont au moins une semaine de recherche historique, 1000 $ d'investissement ou la lecture de sept livres d'à peu près mille pages chacun.

Joyeuse Halloween quand même ! (Eh oui, l'Halloween, c'est féminin.) Je vous attends à la maison déguisé en zombie concupiscent avec une poignée de klendaks tout raides dont je n'ai pas réussi à me débarrasser l'année dernière.

FÂCHÉ NOIR CONTRE LES CHIENS

Vous avez sûrement vu cette vidéo sur le Net : après des mois d'absence, un soldat revient d'une mission à l'étranger, son gros sac sur le dos. Il arrive chez lui. Quelqu'un ouvre la porte, caméra à la main, et le chien sort de la maison, jappant, sautant, tellement fou de joie qu'on croirait que son bonheur va le faire imploser. Le vaillant soldat se jette à genoux et se fait lécher le visage par son chien frétillant.

Il existe des dizaines de variations autour du thème, mettant en scène Jack le soldat américain, John le soldat canadien, Princesse le golden retriever ou Ricky le pékinois albinos asthmatique et boiteux. À chaque fois on s'émeut, on craque, on pleure en se disant que la vie est belle et touchante.

Ouais, bon.

Ceux qui connaissent un peu les chiens savent que Ricky, comme tous les autres toutous, est émotionnellement instable. Tu reviens à la maison après être allé au dépanneur pour acheter du lait et Pépito jappe et saute comme si t'étais parti depuis des semaines. Le temps de descendre au sous-sol pour partir une brassée de lavage et de remonter, Coconut s'étonne de te savoir encore vivant et s'évanouit de bonheur rien qu'à entendre ta voix.

Sur YouTube, les retrouvailles des militaires avec leurs enfants sont tout aussi touchantes, d'autant plus que ceux-ci ne pissent pas par terre en voyant papa revenir d'Afghanistan et ne partent pas à courir après une balle en jappant l'instant d'après en oubliant ce qui vient de se passer.

Je n'ai rien contre les chiens, tiens-je à préciser. Je prends plaisir à les flatter, comme tout le monde, pour peu qu'il y ait des lavabos à proximité où je peux ensuite me décrotter les mains. Ce qui m'exaspère, c'est quand on essaie de me convaincre que le chien est le meilleur ami de l'homme. Si tu crois ça, je me demande vraiment à quoi ressemblent tes amis.

De mon côté, je n'en connais aucun qui profite d'un moment où j'ai les mains pleines pour arriver derrière moi et m'enfoncer son nez mouillé entre les fesses. Aucun ne vient s'essuyer la bouche sur mes jeans après avoir bu de l'eau sale et mangé de la pâtée gluante. Et je me sens le devoir de les défendre ici : quand mes amis se font arroser le visage par une mouffette, ils ne partent pas à courir derrière elle le lendemain pour aller la saluer en croyant qu'ils se sont fait une nouvelle amie.

Le seul trait de personnalité que je peux associer à la fois au chien et à certains de mes amis, dont je tairai les noms pour protéger leur anonymat et éviter les représailles, c'est cette faculté qu'ils ont de revenir sans cesse dans les bras de ceux qui les rejettent. Ce n'est qu'après s'être fait abandonner dans la forêt qu'ils comprennent que cette histoire d'amour est terminée et qu'il est temps de passer à autre chose.

Heureusement pour eux, avec ma bonté sans borne, je suis toujours disponible pour les recueillir chez moi, alors qu'ils se séparent une bonne fois pour toutes, qu'ils ont le cœur brisé et qu'ils se cherchent un endroit où dormir. Ils savent que j'ai toujours pour eux une confortable couverture de laine que je peux installer temporairement au pied de mon lit. J'adore les observer sans qu'ils le sachent et compter le nombre de tours qu'ils font sur eux-mêmes avant de se coucher.

FÂCHÉ NOIR CONTRE LES SALONS DU LIVRE

Parfois, je suis écrivain. Un écrivain, ça passe le plus clair de son temps tout seul assis devant son ordinateur, habillé en vêtements mous, à attendre l'inspiration en touillant son café. Son éditeur, soucieux que l'écrivain ne perde pas tout contact avec le monde extérieur, lui offre de temps à autre une thérapie de choc en le jetant dans la foule des salons du livre. Visite guidée.

Le Salon du livre est une occasion formidable pour l'écrivain de rencontrer son lecteur. Mais son lecteur préfère habituellement se mettre en file pour aller observer Josée di Stasio, Michèle Richard ou maman Dion de plus près. C'est qu'il est intimidant, l'écrivain ; on ne le connaît pas beaucoup. On ne le voit presque jamais à la télé, sauf s'il est aussi humoriste ou s'il a perdu toute sa famille dans un tsunami. (La combinaison des deux lui vaudra une « carte chouchou » à *Tout le monde en parle*.)

L'écrivain regarde le lecteur potentiel en tentant de se faire discret, pour ne pas l'effrayer alors qu'il s'avance timidement à sa table. Le visiteur prend un livre dans ses mains, tente d'en lire le résumé mais sent bien qu'on l'observe. Le visiteur repose le livre sur la pile, sourit timidement puis s'éclipse, l'air de dire : « Je vais y penser », et tente de trouver la file pour Jacques Duval, Josélito Michaud ou Luis de Cespedes.

L'écrivain, à nouveau seul, dort les yeux ouverts en attendant que la journée finisse. Et c'est là, alors qu'il ne l'attendait plus, qu'un lecteur fend la foule qui attend de rencontrer Éric Salvail ou Petr Svoboda et, par le langage des signes, demande qu'on lui dédicace son livre. Phénomène étrange : le lecteur le plus intimidé par l'écrivain est aussi celui qui prend la peine de se déplacer pour le rencontrer.

À ce moment, l'écrivain a des sueurs froides. Il a devant lui un lecteur qui a acheté son livre, qui a payé le droit d'entrée du salon et a peut-être fait des centaines de kilomètres rien que pour le voir. Il mérite donc une dédicace à la hauteur. Mais voilà : l'écrivain travaille lentement. Il laisse l'inspiration venir, fait un plan, fait un somme, niaise sur Facebook, écrit un premier jet, peaufine, pleure, corrige, chiale, retravaille avec l'éditeur, retravaille avec un correcteur... ici, il est seul au combat, obligé de se jeter dans l'action. L'unique moyen d'exprimer sa gratitude à cet ami lecteur venu le rencontrer, ce serait de le serrer dans ses bras, la tête appuyée sur son épaule, et lui susurrer tendrement une berceuse africaine à l'oreille en lui palpant une fesse. Mais l'écrivain est aussi intimidé par son lecteur que le lecteur l'est par l'écrivain. Alors, au bout d'un long moment de réflexion, il signe «Bonne lecture!» et regarde son lecteur déçu aller se mettre en file pour rencontrer la dernière gagnante de *Loft Story*, qui présente son livre intitulé *Si j'auras fourré avec Billy, j'auras pas gagné*.

Une fois sa séance de dédicace terminée, l'écrivain oublie tous ses soucis et se glisse incognito dans la foule qui trépigne en attendant l'arrivée de Nathalie Simard.

FÂCHÉ
NOIR CONTRE LES
LÉGENDES
URBAINES

Quand j'étais adolescent, j'adorais les livres qui traitaient de phénomènes paranormaux ou inexpliqués. Je savais tout ce qu'il y a à savoir sur le triangle des Bermudes (les gens disparaissent dedans), le monstre du Loch Ness (on ne l'a toujours pas trouvé) ou les extraterrestres (ils portent des habits moulants). Je m'abîmais les yeux sur des photos floues de fantômes ou de soucoupes volantes et je me souviens que la fameuse photo du yéti flou marchant dans la forêt floue avait longtemps excité mon imagination. J'ai appris récemment que l'image était tirée d'un film qui dure une trentaine de secondes. Si la photo était intrigante, le film nous montre de toute évidence quelqu'un qui marche d'un air blasé dans un costume de gorille. Mettez-lui un rouleau de papier hygiénique à la main, il aura l'air d'un chef scout qui s'en va faire ses petits besoins derrière un arbre. Fin de l'énigme.

Le web a ceci de formidable qu'il est un outil pour élargir nos connaissances, tuer les mystères et se rendre compte qu'on a passé son adolescence à s'extasier sur des niaiseries.

Ami lecteur, je crois que le moment est bien choisi pour que je te chicane un peu. Tu auras peut-être honte ou, pire, tu tenteras de le nier, mais je te connais. Tu as parfois tendance à te servir du web pour propager une légende urbaine plutôt que pour tenter de savoir si elle est fondée ou non. Ne fais pas semblant de rien. Je t'ai vu faire, j'ai pris ton nom en note. Je ne dénoncerai personne ici, mais je me souviens très bien t'avoir vu relayer sur les réseaux sociaux la nouvelle qui dit qu'aux États-Unis on avait décidé de classer la pizza comme étant un légume. On aime bien rire des Américains chaque fois qu'on en a l'occasion mais, l'histoire, c'est que le Sénat tentait simplement de déterminer si la pâte de tomate qu'on retrouve sur une pointe de pizza équivalait à une portion de légumes ou non. Et toi, là, qui ne dis rien depuis tantôt, tu n'as pas de quoi être fier : je t'ai vu propager avec empressement le message à propos des cinquante-deux chevaux à sauver de l'abattoir. C'était une nouvelle vieille de deux ans. Le dossier est réglé et tous les chevaux ont été épargnés. De toute façon, croyais-tu vraiment qu'un de tes amis ferait le voyage jusqu'en Ohio pour ramener les bêtes et les élever dans sa cour ? Et puis tu te souviens, l'annonce de chiots à donner que tu as envoyée à tous tes amis ? La photo circule depuis tellement longtemps que les seuls chiens qu'on y voit qui ne sont pas encore morts de vieillesse ont tous de sérieux problèmes de hanches.

Aussi, sache que les homards ne crient pas quand on les plonge dans l'eau bouillante (le bruit est causé par la vapeur qui s'échappe de sa carapace). Les étranges cercles qu'on trouve parfois dans les champs de blé ne sont pas des messages extraterrestres (deux Anglais ont expliqué il y a longtemps comment ils avaient monté ce canular). Aucun riche héritier camerounais ne souhaite te donner 20 millions de dollars en échange de tes mots de passe (désolé).

Tu veux apprendre plein d'autres informations pertinentes? N'hésite pas à te servir de Google ou de tout autre moteur de recherche. Parce que je ne peux pas toujours être là, tout près, une main bienveillante posée sur ton épaule, pour t'empêcher de croire n'importe quoi.

FÂCHÉ NOIR CONTRE
L'AVION

Je n'aime pas beaucoup penser à la mort. À la mienne, tout particulièrement. Je suis prudent, je fais rarement des excès et j'ose imaginer que le moment de notre rencontre est encore très loin dans le temps. Il n'y a que quand je prends l'avion que je la crois tout près, jusqu'à avoir l'impression de sentir son souffle dans mon cou.

Les compagnies aériennes font tellement d'efforts pour nous éviter de penser à la mort que je me retrouve à ne penser qu'à ça.

Ça commence avec les consignes de sécurité, le moment où les agents de bord font de grands gestes pour nous expliquer où sont les sorties d'urgences et comment attacher notre veste de sauvetage. Un dépliant plastifié nous donne plus de détails. Si je me fie aux illustrations colorées, il n'y a rien de plus amusant que de respirer dans un masque pendant que l'oxygène de la cabine file par un hublot cassé ou de se laisser glisser dans un canot gonflable au milieu d'une mer glaciale en pleine nuit. Il n'y a que moi qui semble attentif, les autres passagers feuillettent des revues ou écoutent de la musique, l'air parfaitement détendu. Si survient un accident, ils auront à utiliser un masque à oxygène, à fouiller sous les bancs pour trouver un gilet de sauvetage, à l'enfiler en vitesse et à déverrouiller une sortie d'urgence en évitant les flammes alors qu'ils n'arrivent même pas à ouvrir un sac de bretzels sans renverser la moitié de son contenu par terre.

Ça ne me rassure pas du tout.

Je demande du vin, voilà qui pourrait me changer les idées. On tarde à me l'apporter, mais c'est normal : les boissons, particulièrement celles qui tachent ou qui ébouillantent, ne sont servies qu'au moment où l'on entre dans une zone de turbulences. J'éponge mes dégâts en tentant de ne pas penser à la mort. Je regarde le film en tentant de ne pas penser à la mort. Le point commun de tous les films que j'ai vus en avion : personne n'y meurt jamais. Un peu ivre, je pense à la mort.

Le repas qui nous est servi est triste comme un enterrement. Les deux mêmes choix, toujours, peu importe la compagnie aérienne : pâtes flasques ou poulet rabougri. L'accompagnement : pain sec et biscuit sec salé. Dessert : biscuit sec sucré. Je n'ai pas assez de salive pour en venir à bout. Je bois une gorgée d'eau et, parfaitement synchronisé avec les deux cents autres passagers, il me vient une pressante envie d'uriner. Je m'installe dans la longue file et, puisque le voyage s'achève enfin, j'en profite pour remplir le formulaire de déclaration pour les douanes.

Avez-vous attrapé une maladie infectieuse dans une ferme dans les dernières 24 heures ? Oui ☐ Non ☐

Avez-vous attrapé le sida en copulant avec un singe dans la forêt équatoriale ? Oui ☐ Non ☐

Ramenez-vous des explosifs ou de l'anthrax au pays ? Oui ☐ Non ☐

Vous ne trouvez pas que votre voisin de siège a une sale tête de terroriste ? Oui ☐ Non ☐

Vous ne trouvez pas que le moteur fait un drôle de bruit depuis tout à l'heure ? Oui ☐ Non ☐

Pensez-vous encore à la mort ? Oui ☐ Oui ☐

FÂCHÉ
NOIR CONTRE LES
COMPLIMENTS

Je ne sais pas c'est quoi mon problème avec les compliments, mais je suis incapable d'en donner d'une manière convenable. Ça a l'air simple et, pourtant, je réussis à faire ça tout croche. Je réfléchis trop. J'analyse. Je pense aux répercussions. Je me censure. Je retravaille. Je deviens confus. Je panique. Et dès que je m'ouvre la bouche, des mots incongrus en sortent. Aussi bien l'avouer franchement : mes compliments ressemblent à des insultes. Voici un exemple qui démontre l'ampleur de mon incompétence :

Un cinq à sept. J'étais dehors, je tenais compagnie à quelqu'un qui fumait. Devant nous, une fille est sortie d'un taxi. Elle était vêtue de noir, talons hauts, jupe courte. Sexy. C'était une amie. Je l'ai saluée, et, de belle humeur, j'ai voulu lui envoyer un compliment. Je me préparais à lui dire qu'elle était jolie, mais je me suis abstenu. J'étais célibataire, elle était en couple, je ne voulais pas qu'elle s'imagine que je la draguais. Pour éviter le malaise, j'allais plutôt lui dire qu'elle avait de jolies jambes.

Euh. Était-ce moins ambigu ? N'allais-je pas ainsi laisser sous-entendre que je la reluquais ? Les secondes passaient. Et si je disais un mot gentil sur sa robe ? Non, non, non. Les hommes ne font pas ça. Et il n'y avait rien à dire sur cette robe, à part, peut-être mentionner qu'elle était exceptionnellement courte. Mettre l'emphase là-dessus pourrait laisser croire à cette amie qu'on avait vu sa culotte quand elle était sortie de la voiture. J'aurais pu me contenter de me taire mais non, trop tard, j'ai préféré détendre l'atmosphère en y allant d'une blague mémorable : « Coudonc, as-tu oublié tes pantalons dans le taxi ? »

Quel humour.

Je m'étonne de n'avoir rien gagné au Gala des Oliviers cette année-là.

Je ne suis pas plus habile avec les enfants. Mais eux passent le plus clair de leur temps à recevoir des compliments pour tout ou rien, alors ça ne doit pas être très grave. Je dirais même que je les prépare pour la vraie vie, là où tout n'est pas que louanges, amour et joie.

— Oh ! Un dessin !

— Il est beau, mon dessin, hein, hein, hein ?

— Très beau ! Mais pourquoi il y a un alligator dans le jardin ?

— C'est mon chien !

— Eh boy. Et pourquoi il y a une grosse otarie évachée près de la maison ?

— C'est ma mère !

— Ah. Je croyais que c'était ça, ta mère.

— C'est un camion de pompier !

— Ah bon. C'est pas grave. Juste une petite chose : si jamais tes parents te demandent ce que tu veux faire quand tu seras grand, je te suggère de répondre «docteur» ou «comptable» plutôt qu'artiste. Pour éviter qu'ils se fassent du souci. Déjà que ceux qui ont du talent ont de la difficulté à vivre de leur art, imagine quelqu'un comme toi. Allez. Veux-tu que je te débarrasse de tes crayons de couleur ?

Voilà qui explique l'absence de dessins d'enfant sur mon frigo. Ça explique aussi pourquoi mes amis ne me laissent jamais seul trop longtemps avec leur progéniture. Mais qu'on se rassure : je paie pour mes crimes. La contrepartie de tout ça, c'est que je suis toujours mal à l'aise quand on me fait un compliment. Je me dis que la personne s'est mal exprimée et qu'elle souhaitait sans doute m'injurier.

Ce qui serait plutôt normal.

FÂCHÉ NOIR CONTRE LE MÉTRO

C'était il y a longtemps. Je travaillais dans un commerce de la Place des Arts. Une Française d'une cinquantaine d'années, le genre qui n'a pas souri depuis sa première communion, m'a posé une question de sa voix haut perchée.

— Pardonnez-moi, jeune homme, savez-vous où est l'entrée de la ville souterraine?

J'ai expliqué à la dame que ses livres de voyage exagéraient un peu. Cette « ville » n'était rien de plus que quelques centres commerciaux reliés entre eux par le métro. Elle n'était pas satisfaite. Je l'avais contrariée.

— Non, non, la ville souterraine! Vous savez, là où les gens vivent l'hiver!

Imagination aidant, elle croyait que les Montréalais se réfugient dans le métro à l'arrivée des grands froids pour faire place aux pingouins, aux caribous des neiges et aux écureuils polaires. J'ai haussé les épaules en la priant d'excuser mon ignorance. J'ai trouvé ça dommage de la regarder partir en m'injuriant. Si ça m'arrivait aujourd'hui, je quitterais mon poste sans hésiter et je lui offrirais une visite guidée de notre ville souterraine :

Bonjour, touriste ! Je serai ton guide pour la journée ! Laisse-moi te faire découvrir ce métro enchanteur ! Bravo, je vois que tu as réussi à franchir les lourdes portes d'entrée de la station, là où la ventilation excessive les empêche de s'ouvrir à moins de s'y mettre à trois personnes et de pousser de toutes ses forces ! Ne t'inquiète pas : à l'intérieur, de la ventilation, il n'y en a pas. L'air chaud y est emprisonné depuis l'Expo 67. C'est l'haleine des usagers qui réchauffe les stations.

Ne te laisse pas tromper par le béton gris qui lui donne une ambiance « Berlin avant la chute du mur » ; le métro est moderne ! Il existe même une application pour les téléphones qui t'informe des ralentissements de service via l'Internet ! Il n'y a pas d'Internet dans le métro, mais bon. C'est un détail !

Ah, et ne cherche pas de poubelle sur les quais, il n'y en a plus. Les poubelles, ça faisait malpropre. Si tu veux jeter tes papiers gras ou mettre ta bouteille vide au recyclage, il te faudra remonter les trois escaliers, perdre dix minutes et manquer deux métros. Fais comme tout le monde : abandonne discrètement tes machins par terre, sous un banc, et ça finira bien par se retrouver sur les rails. Hop !

Et voilà le métro qui arrive! Entre, entre! Remarque que tous les wagons possèdent des sièges pour personnes à mobilités réduites: les femmes enceintes, les handicapés, les personnes âgées et les morons qui ne savent pas vivre et qui font semblant de ne pas remarquer les femmes enceintes, les handicapés et les personnes âgées.

Le métro commence à rouler, tiens-toi bien! Le chauffeur adore se servir du frein! Si tu es vacciné contre tous les types d'hépatite, accroche-toi aux poteaux. Sinon c'est à tes risques, parce qu'il y a deux choses qu'on ne voit jamais dans la vie: des bébés pigeons et des laveurs de poteaux de métro. Le mieux c'est de s'asseoir par terre, comme les étudiants en arts plastiques de l'UQÀM. Et laisse-toi bercer par la douce voix de la madame informatisée.

« Attention, le service est interrompu sur la ligne verte, entre les stations Saint-Laurent et De l'Église. »

Ça risque d'être long! Tu n'es pas pressé de sortir d'ici, j'espère? De toute façon, la ville est envahie par les ours blancs.

FÂCHÉ NOIR
CONTRE LA PENSÉE
POSITIVE

Décidez de ce que vous voulez. Croyez que vous pouvez l'avoir, que vous le méritez. Visualisez chaque jour ce que vous voulez. Sentez-vous comme si vous l'aviez déjà. L'univers saura trouver comment vous le manifester. Bla bla bla...

Rhonda Byrne, *Le Secret*

L'autre jour je suis passé chez des amis, qui sont aussi mes voisins, alors qu'ils feuilletaient la revue *Ricardo* à la recherche d'un dessert à préparer. Ils sont tombés sur un gâteau au chocolat et glaçage au thé chai qui m'a fait saliver au point que même avec une bavette en plastique avec un petit rebord pour absorber le trop-plein attaché autour du cou, je me suis retrouvé avec les pantalons mouillés. Une fois mes vêtements sortis de la sécheuse, je suis retourné chez moi puis j'ai affiché une photocopie de la recette sur mon frigo à l'aide de quatre aimants en forme de lettres. (Les lettres M, I, A et W, respectivement. (Vous comprendrez que je ne voulais pas écrire MIAW mais bien MIAM et que, n'ayant qu'un seul M, j'ai eu l'idée géniale de faire pivoter un W à 180 degrés pour en former un deuxième. (Pour ceux qui ne comprennent pas tout à fait, écrivez-moi en privé, je vous ferai un dessin. (Parce que là, j'aimerais vraiment poursuivre cette chronique et c'est à peine si je me souviens de quoi elle parlait. (Ah oui, ça me revient.)))))

Le gâteau.

J'ai rêvé de ce gâteau toute la nuit. En me levant, je pouvais presque me l'imaginer, sur le comptoir, protégé par une magnifique cloche en cristal d'Arques transformant la lumière du matin en une myriade de scintillements magiques.

Mais rien n'avait bougé. Le gâteau n'était encore qu'une photocopie en noir et blanc affichée sur le frigo.

Je n'ai pas ménagé mes efforts pour que ce gâteau prenne forme dans la réalité : j'ai suivi tous les conseils trouvés dans la dizaine de livres de «pensée positive» que j'ai consultés. Redondance oblige, ça se résume facilement en trois points :

1. J'ai visualisé le gâteau. (Jusqu'à ce que ça me fasse mal aux yeux et que j'en pleure.)

2. Je n'ai pas laissé d'images négatives se former dans mon esprit. (Exemples d'images négatives : moi qui tente de faire un gâteau qui dépasse mes compétences et qui le rate. Moi qui me brûle parce que mes mitaines de four sont de mauvaise qualité. Moi qui me rappelle que je n'ai même pas de cloche en cristal parce que l'idée de me risquer à faire un gâteau ne m'était encore jamais venue.)

3. J'ai ressenti d'avance la joie que j'aurais à dévorer le gâteau. (Ça m'a d'autant rempli de joie que mes pensées sont faibles en calories.)

J'ai tout fait ça mais la photocopie de la recette s'entêtait à me narguer, et toujours pas de gâteau chaud et moelleux sur le comptoir. Et puis, soudain, juste au moment où j'allais laisser tomber mes pensées positives pour courir m'acheter un Deep n' Delicious marbré de McCain au dépanneur, m'est arrivée aux narines une divine odeur de gâteau au chocolat et glaçage au thé chai. Mes amis d'à côté sont des gens formidables qui ne se contentent pas de «se sentir comme s'ils l'avaient déjà»; ils lisent la recette, achètent les ingrédients requis et cuisinent en suivant les directives.

La morale de cette histoire : quand vous désirez ardemment quelque chose, ne vous contentez pas d'en rêver. Passez chez vos amis pour voir s'ils ne vous en donneraient pas un morceau.

« Merde à toi, à ceux qui te lisent
et à ceux qui t'écrivent. »

Anonyme

FÂCHÉ NOIR CONTRE LES CHATS

Les chats, c'est inquiétant, malveillant et sournois. J'ai d'ailleurs longtemps hésité avant de les choisir comme sujet de chronique ; je les soupçonne de savoir lire et de le faire en cachette, pour qu'on ne se doute de rien. Je ne voudrais pas me les mettre à dos. Malgré tout, tels les plus grands journalistes d'enquêtes ou les correspondants de guerre, je me suis complètement laissé absorber par mon sujet et je me suis jeté dans le cœur de l'action. Intrépide comme je suis, faisant fi du danger, je me suis rendu chez des amis où j'ai pu observer un spécimen vivant dans son habitat naturel : sur, sous et autour du divan en lambeaux où il fait ses griffes.

Pendant l'heure où je l'ai observé, Staline (nom fictif) a couru après une boulette de papier pour l'éventrer, a donné des coups de papattes sur une feuille morte pour l'égorger, a griffé la main amicale que je lui tendais pour l'arracher... La philosophie féline est simple : la mort des choses vivantes et la destruction de tout le reste.

Et quand il n'était pas occupé à détruire ou à tuer, Staline me fixait. Avec des yeux méchants. Les chats me jugent et ça me met inconfortable. J'avais beau surveiller mes manières et ma diction, en plus d'avoir mis ma plus belle cravate pour l'occasion, son regard de dédain était là pour me rappeler c'est qui le boss. (C'est lui.)

Staline a aussi joué au petit jeu que tous les chats adorent : fixer un coin de mur vide en poussant un feulement épeurant, le poil dressé sur l'échine. Une très bonne performance d'acteur visant à faire perdre la tête aux humains en leur faisant croire qu'un fantôme erre dans leur appartement.

Il faut tout de même savoir d'où vient leur méchanceté : on paie encore pour une grosse gaffe qu'a faite le pape Grégoire IX. Au Moyen-Âge, sans doute après que le sien ait uriné dans ses bottes, il a déclaré que les chats domestiques étaient sataniques. Je lui donne raison là-dessus, mais le problème c'est que ça a donné lieu à une extermination massive de félins. Les rats, faute de prédateur naturel, ont alors eu le champ libre pour proliférer et se promener avec, sur le dos, les puces infectées qui transmettaient la peste noire, qui s'est propagée partout en Europe et aurait décimé jusqu'à 50 % de la population de l'époque.

Beaucoup de morts, et rancune éternelle des chats.

Malgré tout, ils continuent de nous fasciner. Ce n'est plus un secret, les gens qui font croire qu'ils fréquentent des sites pornographiques passent en réalité leurs journées à regarder des vidéos de chats. Le plus spectaculaire vidéoclip de Beyoncé n'aura jamais autant de visionnements qu'un gros chat qui ronronne dans une boîte en carton.

Aujourd'hui YouTube, demain Hollywood, ensuite le monde. La domination du chat sur l'espèce humaine est en route. Je parie que, d'ici quelques centaines d'années, les chats nous auront domestiqués. Mais ça ne sera pas plus mal. Nous pourrons dormir toute la journée et, pour nous venger s'ils ne nettoient pas assez souvent notre litière, on détruira à coup de griffes leurs plantes et leurs divans. Et si nos maîtres ne sont pas à la hauteur de nos exigences, on n'aura qu'à leur lancer un regard dédaigneux et filer par une fenêtre ouverte pour en trouver des meilleurs.

FÂCHÉ NOIR
CONTRE LA FAUSSE MODESTIE

Dans sa forme la plus maîtrisée, la fausse modestie est l'art de savoir se mettre en valeur sans que ça paraisse, en donnant l'impression qu'on parle d'autre chose que de soi, de notre grandeur d'âme ou de notre talent.

Ça demande une certaine finesse.

Exemple réussi : Dans un bar, pendant le cinq à sept, Mylène regarde l'heure et lance un « Oh, faut que j'y aille ! Et c'est certainement pas la pluie qui m'empêchera d'aller servir des repas aux pauvres ! » Difficile de savoir si elle est modeste ou pas, si elle se contente de nous informer ou si elle se vante l'air de rien. On ne va tout de même pas lui reprocher de faire du bénévolat, hein ? Et impossible de ne pas ressentir une légère culpabilité quand on sait qu'à l'heure où Mylène préparera des *grilled cheese* aux plus démunis, on sera encore au bar à croquer des limes, lécher du sel et boire de la tequila en oubliant d'aller souper.

Mais les gens ne sont pas toujours aussi habiles. L'arrivée des réseaux sociaux a tué ce qui restait de subtilité et de délicatesse dans l'être humain. Alors, quand Francis écrit : « Si je perds mes élections, je quitte le pays et je pars vivre au Liechtenstein », dans sa tête ça veut peut-être simplement dire que la situation politique au Québec le décourage. Mais, avec un minimum de mauvaise foi, il est difficile de s'empêcher de lire : « Attention,

attention! Je vous préviens, si je perds mes élections, le Québec subira une perte incommensurable dont il ne se remettra jamais : j'irai vivre au Liechtenstein, là où je n'ai aucun doute qu'un comité d'accueil m'attendra pour me remettre les clés de la ville pendant qu'un orchestre philharmonique me jouera l'hymne national. »

Une qui est soit vraiment pas subtile ou très très malhabile, c'est la jolie fille. Tu sais, la grande blonde mince avec pas un maudit défaut qui tente de nous faire croire qu'elle ne sait pas qu'elle est belle? Ses deux statuts préférés :

1. Franchement! Ça fait trois gars depuis ce matin qui me klaxonnent sur la rue! Et au café on m'a demandé si j'étais mannequin, euh, lol! Tellement pas!

2. Oh là là, regardez-moi sur cette photo où je pose en costume de bain! Je suis horrible, non? J'ai le ventre gonflé par cet énorme *sundae* que je viens d'engloutir! Dégueu.

La fille cherche des compliments, et ça marche. Tout son réseau s'empresse de la rassurer. « Ben voyons, tu serais belle même si t'avais mangé deux portions de lasagne. »

Les hommes ne sont pas vraiment plus subtils. Statuts préférés :

1. Attention, les amis, il va faire chaud aujourd'hui! Déjà ce matin, quand j'ai couru mes cinquante kilomètres en joggant, c'était très humide!

2. Adieu [*insérez ici le nom d'une personnalité décédée*], c'est en m'inspirant de toi que je suis devenu l'homme que je suis aujourd'hui. Si seulement tu pouvais en inspirer d'autres!

Oui, il insinue qu'il est un grand homme et pas toi.

Pourquoi ne pas laisser tomber la fausse modestie, plus embarrassante qu'autre chose, et ne pas plutôt se vautrer franchement dans l'amour de soi? Rien qu'aujourd'hui, juste pour voir? Allez, j'essaie.

Je suis donc ben créatif, original et inspiré, moi, donc? Mes chroniques sont tellement bonnes qu'on devrait en faire un livre. Je commence à me demander si je ne suis pas le meilleur chroniqueur au monde. Mais comment ai-je pu hériter de tout ce talent? C'est fou!

Ouf. Ça fait du bien. Tu devrais essayer. Surtout que personne ne le fera à ta place.

MERCI

Emily Brunton pour son œil critique (et pour ses beaux yeux en général). Ma famille, avec qui je partage ce caractère soupe au lait qui m'aura enfin servi à quelque chose. David Sedaris, qui agit à titre de guide spirituel. Yahoo! Québec. Sophie Bienvenu, Steve Proulx, Michel Fradette et Valérie Cordier-Chemarin.

TABLE
DES MATIÈRES

FÂCHÉ NOIR
CONTRE LES PAGES
VIDES
À LA FIN
DES LIVRES

« Bon là : Déjà fini ? »

Anonyme